MW00528018

Ваше Богатство - Для Вас

ACCESS
CONSCIOUSNESS®
PUBLISHING

Ваше Богатство – Для Вас

Копирайт © 2013 Гэри М. Дуглас и Др. Дэйн Хиир

Access Consciousness Publishing Company, LLC

www.AccessConsciousnessPublishing.com

Второе издание 2013

Напечатано в Соединенных Штатах Америки

Напечатано зарубежом в Великобритании и Австралии

Первое издание 2012 Big Country Publishing

Все права зарегистрированы. Ни одна часть этой книги не может быть воспроизведена или передана в любом виде или любым способом, электронным или механическим, включая фотокопирование и запись, или при помощи любой системы хранения или получения информации, без письменного разрешения издателя. Авторы и издатели книги не делают никаких заявлений и не дают гарантий относительно каких-либо физических, психических, эмоциональных, духовных или финансовых результатов. Все продукты, услуги и информация, предоставленные авторами, предназначены исключительно в общеобразовательных и развлекательных целях. Представленная здесь информация никоим образом не заменяет медицинские или профессиональные рекомендации. В случае использования читателями любой информации, содержащейся в этой книге, авторы и издатели не берут на себя никакую ответственность за действия читателей. Access Consciousness Publishing не принимает на себя никакой ответственности или обязательств за любое содержание, библиографические ссылки, иллюстрации или процитированные работы, содержащиеся в этой книге.

ISBN: 978-1-63493-126-7

СОДЕРЖАНИЕ

Изменение Вашего Взгляда На Вещи

Изменение Вашего Взгляда На Вещи

Если вы такой, как большинство людей, наверняка у вас есть множество мнений о деньгах, о которых вы даже не отдаете себе отчет. Все эти точки зрения являются причиной многочисленных так называемых финансовых проблем. В этой книге мы с Дэйном хотели бы представить вам некоторые варианты размышления о деньгах, которые помогут вам иначе взглянуть на мир финансов. Мы хотели бы помочь вам изменить те точки зрения, которые мешают вам легко и комфортно владеть деньгами.

Это книга о том, как генерировать финансовую реальность гораздо лучше той, в которой вы находитесь. Мы поговорим о том, что необходимо для того, чтобы действительно иметь деньги, а не постоянно их добывать. Мы также поговорим о том, как научиться генерировать деньги в своей жизни, и обеспечим вас инструментами, с помощью которых вы сможете превратить для себя текущий экономический кризис в процветание. Мы предложим способы того, как сделать деньги исходя из представленной ситуации в отличие от того, чтобы просто позволять деньгам утекать от вас. Весь смысл в том, чтобы посмотреть на вещи с несколько иной точки зрения.

Мы хотим дать вам возможность распознать другие пути и иметь иной взгляд на окружающий мир. И если вы измените свои взляды на вещи, в вашей жизни появится возможность генерирования чего-то совершенно иного.

ГЛАВА 1
Что Для Вас Означают Деньги?

Для начала попросим вас выполнить два коротких упражнения, которые помогут вам выяснить, что же для вас означают деньги.

Что Для Вас Означают Деньги?

Напишите свои ответы на вопрос: «Что для вас означают деньги?»

_____

_____

_____

_____

_____

Обсуждение ваших ответов

Посмотрите на каждый записанный вами ответ. Чувствуете ли вы себя легче, когда думаете, что деньги означают для вас именно это? Или наоборот – тяжелее? Если от чего-то вы чувствуете себя легче, значит, для вас это является истинным. Если что-то заставляет вас чувствовать себя тяжелее, значит это- ложь.

Чтобы дать вам представление о том, как может пройти это упражнение, мы познакомим вас с ответами, которые были даны участниками нашего недавнего семинара о деньгах:

Гэри: «Окей, первый ответ – секс. Итак, деньги - это секс? Вы чувствуете себя легче или тяжелее?»

Участник: «Тяжелее».

Гэри: «Тяжелее. Хорошо. Следующий ответ – возможность. Деньги это возможность? Вы чувствуете себя легче или тяжелее?»

Участник: «Легче».

Гэри: «Хорошо, легче. Возможность является одним из элементов энергии денег.

Следующий ответ: «Безопасность. Вы чувствуете себя легче или тяжелее?»

Участник: «Тяжелее».

Гэри: «Тяжелее, потому что безопасности не существует. Спросите у любого, кто живет в Сан-Франциско, чувствует ли он/она себя в безопасности. Там в любой момент земля может разверзнуться под ногами и поглотить всех жителей города. И вы думаете, что у вас есть безопасность? Перестаньте! Это безумие!

Следующий ответ – свобода. Деньги – это свобода. Вы чувствуете себя легче или тяжелее?»

Участник: «Тяжелее».

Гэри: «Да, тяжелее. Свобода не приходит с деньгами. Деньги появляются со свободой. Что если ваша жизнь не зависит от того, что вы расчитываете заполучить с помощью денег? Что если ваша жизнь складывается из осознания того, что деньги приходят к вам в результате вашего выбора чего-то, что является освобождением для вас?

Многие говорят: «Следуйте за своей страстью». Если мы посмотрим, что означает слово «страсть» в старом словаре, то обнаружим, что это буквально означает быть прибитым к кресту, также как Христос. Потакание нашим страстям не приводит нас туда, куда мы хотим попасть. Но если вы будете заниматься тем, что вы любите, деньги не заставят себя ждать. Вы должны быть готовы делать то, что вы любите».

Дэйн: «Когда вы готовы иметь свободу выбора, вы генерируете или создаете деньги. Многие думают, что деньги принесут им свободу, но на самом деле, все наоборот. Готовность иметь свободу позволяет появиться деньгам».

Гэри: «Когда вы будете готовы выбирать, тогда к вам придут деньги.

Следующий ответ – отдых. Деньги – это отдых. Вы чувствуете себя легче или тяжелее? Тяжелее.

Деньги – это не отдых. Возможно, вы чувствуете себя более расслабленными, когда у вас на банковском счету больше денег, но это не то, что представляют из себя деньги.

Следующий ответ – выбор. Деньги это выбор? Вы чувствуете легкость или тяжесть?»

Участник: «Тяжесть».

Гэри: «Да, потому что деньги – не выбор, но выбор генерирует деньги. То, что вы выбираете, генерирует деньги, но сами деньги не предоставляют вам выбора».

Дэйн: «Выбор похож на концепцию свободы. Если вы готовы иметь свободу как часть своей жизни, то вы создадите свободу в любом ее виде. Если мне нужны деньги для того, чтобы создать свободу – отлично, значит, у меня будут деньги. Если для этого нужно окружить себя множеством роз, значит, я достану розы. Вы сами знаете, что несет вам свободу. То же самое с деньгами. Если вы готовы иметь вещи, которые приносят деньги, значит, у вас будут деньги. Многие думают о деньгах, как об источнике вещей, не понимая, что на самом деле все наоборот. Выбор – это не деньги. Выбор – это источник денег. Выбор порождает осознанность, но осознанность не создает выбора».

Гэри: «Выбор – это источник всего в вашей жизни. Выбор создает все возможности и все вероятности. Выбор – это ключ. То, что вы выбираете, кладет начало тому, что происходит в вашей жизни».

Теперь посмотрите на каждый ответ, который вы записали, отвечая на вопрос: «Что означают для вас деньги?» Чувствуете ли вы легкость от своего ответа? Правильно ли он определяет для вас деньги? Или вы чувствуете тяжесть? Если для вас этот ответ является правдивым, то вы почувствуете себя легче. Если для вас это неправда, то вы почувствуете себя тяжелее. Многое из того, что вы переняли о деньгах у других, заставляет вас чувствовать себя тяжелее.

Как мы на это смотрим, деньги – это средство. Это их истинное значение. Все остальные вещи в списке, такие как безопасность, расслабление, свобода и т.д. – это то, что другие думают о деньгах. Вы видите, что когда вы смотрите на деньги с точки зрения, которая не является на самом деле вашей, они могут казаться для вас чем-то иным, чем они являются на самом деле?

Например, посмотрите на стену в комнате, где вы сидите. Это - стена. Она красивая, уродливая, идеальная, правильная, хорошая или это просто стена? Это просто стена. Нужно ли вам бороться с идеей, что стена красивая или страшная? Точно так же обстоит ситуация с деньгами. Мы говорим: «Хорошие деньги, плохие деньги, правильная сумма, неправильная сумма, правильный способ получать деньги, неправильный способ получать деньги». Все это - суждения. Они не имеют никакого отношения к тому, чем являются деньги в действительности. Это просто то, что вы решили, исходя из вашего положительного или негативного жизненного опыта и того, чему вас научили, или представлений, которые вы переняли у других.

На страницах этой книги мы предложим вам вопросы, процессы и другие инструменты, которые вы можете использовать, чтобы осознать точки зрения, имеющиеся у вас относительно денег, и

убрать их из своего пространства. Мы надеемся, что вы будете использовать их для создания себе иной финансовой реальности.

Вы, Как Безграничная Сущность

Нам говорили или обучали тому, что сначала необходимо иметь общее представление о том, что мы желаем, чтобы потом иметь имеено то, что хотим. Что такое «общее представление»? Это некая карта, инструкция, определение или картина. Это продукт нашего ума . Идея создания общего концепта желаемого может быть применима до определенной степени, но Вселенная невообразимо шире и многограннее чем то, что может постичь или создать ваш разум. Возможности Вселенной безграничны. Неужели вы хотите творить свою жизнь с теми же ограничениями что и раньше, используя свой ум? Для чего вы хотите планировать свой грядущий день еще до того, как он наступит, заранее определяя все свои поступки? Зачем вы хотите жить так, чтобы автоматически ограничивать собственные возможности?

На многое можно смотреть совсем иначе и жить в нашей Вселенной можно совсем по-другому. Понимание этого начинается с осознания своей истинной природы. Мы – существа без границ. Осознавали ли вы это? Как безграничные сущности, мы обладаем бесконечными возможностями воспринимать, знать, быть и получать, но вместо того, чтобы это осознавать и поступать соответственно, как безграничные сущности, которыми мы поистине и являемся, за последние четыре триллиона лет мы сделали все возможное, чтобы превратить себя в чудовищно ограниченных. С каждым жизненным циклом мы возвращаемся назад в эту реальность и каждый раз мы становимся все более и более ограниченными в своих точках зрения; это продолжается до тех пор, пока мы не перестаем осознавать даже сам концепт бесконечности. В действительности мы отрицаем свою неограниченную сущность. Часто это делается, чтобы находиться в согласии с окружающими. Мы говорим: «Моя мама так поступает, и я буду поступать точно так же» или «Мои друзья этого не поймут или не одобрят, пожалуй, мне это тоже ни к чему». Поступая подобным образом, мы отказываем себе в своей собственной безграничной природе, а заодно и в неограниченных возможностях, которые всегда нам доступны.

Мы не живем в полную силу, занижаем свои способности, имеем меньше радости, веселья, денег, чего угодно, чем могли бы. Дэйн как-то сказал мне: «До того, как я занялся «Access», я часто слышал от людей, что мы безграничные сущности, и я думал «Неужели я – безграничен? Если это правда, то почему же моя жизнь такая, какая есть? Разве у безграничной сущности не должно хотя бы хватать денег на съем квартиры? Разве безграничная сущность не должна хотя бы время от времени просыпаться с радостью? Разве безграничная сущность не должна быть довольна своей жизнью? Если я – безграничная сущность, почему же, черт возьми, моя жизнь в таком состоянии?»

Потому что вместо того, чтобы делать выбор в пользу воприятия всего, познания всего и бытия всем тем, что ведет нас к получению желаемого, включая любое количество денег, какое мы только могли бы попросить, мы выбираем существование в рамках этой ограниченной реальности. Мы выбираем соглашаться с представлениями окружающих. Мы отталкиваем то, что могли бы иметь. Мы отказываемся это получать. Мы верим в то, что должны дробить и рвать себя на части так же, как это делают все остальные. Мы принижаем и ограничиваем себя. Мы характеризуем себя исходя из состояния своего тела, банковского счета или дома, в котором живем. Мы пытаемся стать такими же, как все окружающие нас, чтобы не выделяться.

В действительности мы - это всё; однако, мы говорим себе: «О нет, я смертен. Я ограничен размером тела или пространством, в котором я живу». Мы продолжаем вязнуть в этом обмане: «Я очень ограниченное существо. Мои способности имеют пределы». Это неправда. Мы не ограничены и не имеем пределов!

Вы в своем естестве подобны прохладному весеннему бризу. Вы - это космос. Вы - это не ваше тело. Наши тела ограничены, а мы, с другой стороны, являемся всем. Как вы можете вместить в свое тело то, чем вы действительно являетесь, свое безграничное существо? Это невозможно. На самом деле, ваше тело внутри вас. Ваше тело живет внутри вас, а не вы внутри него. Даже если вы доведете вес своего тела до 1000 фунтов (примерно 454 кг), этого все равно будет недостаточно, чтобы вместить вас всего.

Закройте глаза и найдите свои внешние границы,

Границы своей сущности.

Вы можете почувствовать свои внешние границы?

Или вы везде, куда бы ни посмотрели?

Такова безграничность вашего существа.

Разве кто-то такой большой может вместиться в такое маленькое тело?

Или все-таки это ваше тело внутри вас?

Когда в вашей жизни возникает ситуация, которая вас не устраивает, задайте себе вопрос: «А выбрала ли бы это безграничная сущность? Нет? Почему тогда я это выбираю?» Если безграничная сущность не сделала бы такой выбор, тогда почему его сделали вы? Мы предлагаем вам взглянуть на те ситуации, в которых вы предпочли ограничить себя, и разблокировать их, чтобы вам больше не приходилось придерживаться этой точки зрения. Вы не обязаны перенимать ограниченные точки зрения других людей. Вы можете выбрать что-то другое.

Представляете ли вы себе, каково было бы жить свою жизнь минута за минутой как безграниченная сущность, которой вы поистине являетесь? Для начала, вы бы заявили о себе и потребовали бы все, что вам причитается по праву, как безграничной сущности с безраничными силами. Вы бы не согласились с правилами игры этой реальности. У вас оказалось бы слишком много дел! Вам было бы слишком хорошо и у вас, скорее всего, появилось бы слишком много денег!

ГЛАВА 2
Принятие

Наличие круглой суммы на банковском счету еще не означает изобилие. Изобилие – это когда в вашей жизни больше абсолютно всего. Это наличие радости в жизни. Изобилие касается всего, что вы готовы принять.

Вместе с Дэйном мы работали с разными людьми над их, так называемыми, денежными проблемами. Вне зависимости от того, было ли у них 10 долларов или 10 миллионов долларов, у них у всех стоял один и тот же денежный вопрос. Как такое возможно? Дело в том, что проблема не в деньгах, а в нежелании их принимать. Люди не способны принимать, или не хотят получать определенные вещи, или не хотят верить, что принимать – это хорошо. Все, что вы не желаете принять в жизни, является препятствием к обладанию деньгами, которые вы бы хотели иметь.

Большинство людей чувствует себя более комфортно, когда у них нет денег чем, когда они у них есть. Они обычно придерживаются мнения, что много денег бывает только у того, кто крадет их у других или подло использует людей или же является совсем безнравственным. Поэтому они предпочитают ограничивать себя во всем, чтобы не испортиться и не развратиться. Они выбирают лишения вместо так называемой безнравственности.

Я готов генерировать много денег. Некоторые могут подумать, что я их не заслуживаю – и возможно они правы, но даже несмотря на это, я готов получать много денег. Большинство людей может иметь только столько денег, сколько, по их мнению, они заслуживают. Но в жаркий день разве вы заслуживаете прохладный ветерок или вы просто его чувствуете? Вам надо заслужить почувствовать тепло солнца на своей коже или вы просто выходите на улицу, и оно там светит? А что если деньги были бы как солнце? Что если бы они были вам доступны, просто как солнечный свет? Как дыхание? Именно так это и должно быть! «Принятие» должно быть таким же естественным, как вдох, как ощущение солнечного тепла и дуновения ветра.

Зависимость От Бедности

Многие люди, с которыми мы работаем, страдают зависимостью от бедности. По сути, это неготовность позволить Вселенной во всех ее проявлениях преподносить им подарки. Если вы желаете иметь деньги, вы должны быть готовы их принять. Вы должны быть готовы позволить всему в этом мире делать вам подарки. Ограничения вашей реальности основаны на том количестве денег, которое вы готовы позволить себе иметь. Иными словами, если вы готовы иметь денег только-только впритык, от бедности вас всегда будет отделять всего одна зарплата; вы будете снова и снова создавать себе именно такую финансовую реальность. Если у вас есть желание иметь лишь немного больше, чем вам действительно необходимо, то вы будете снова и снова это себе воссоздавать. Это становится ограничением вашей реальности. Если вы верите, что для того, чтобы иметь деньги нужно много работать, и вы чувствуете от этого дискомфорт, то будете снова и снова создавать для себя именно такую реальность.

Много лет назад, когда у меня не было денег, в качестве дополнительного дохода я периодически ходил на частные маленькие распродажи, чтобы приобрести вещи, которые можно перепродать. Однажды мне попалась золотая дверная ручка 585 пробы, стоимостью 4 доллара. По тем временам она оценивалась бы в 1 000 долларов. В тот конкретный день у меня с собой не было наличности. У меня была чековая книжка, но супруга, с которой мы в то время были женаты, уже навыписывала чеков на суммы больше, чем мы могли оплатить, и я дал себе слово больше никогда не выписывать чек, который не подлежал обналичиванию. Я был настолько серьезно настроен больше не выписывать ничем не подкрепленных чеков, что даже не смог разглядеть возможность под собственным носом. Это очень печально, я же умный парень. Мне следовало бы лучше знать. Случись это со мной сегодня, я бы не стал говорить: «О нет, я так поступить не могу!» Я бы оценил возможность и сказал: «Окей, как я могу достать деньги?» Это так, как мы функционируем в жизни. Вместо того, чтобы говорить: «Я не могу это сделать», спросите себя: «Что нужно, чтобы ситуация разрешилась?» Это другая точка зрения, от которой вам надо оттолкнуться, если вы действительно хотите создавать и генерировать богатство в своей жизни. Не отказывайте себе в деньгах и в тех вещах, которые вы желаете иметь, из-за собственной зависимости от бедности.

Будьте Готовы Принять Все

Если вы действительно хотите иметь деньги, вы должны быть готовы принять все. Под «все» мы подразумеваем хорошее и плохое, прекрасное и ужасное. Это не означает, что вы должны это непосредственно выбрать, но у вас должна быть готовность все это принять. Вы должны быть готовы принять любую энергию, какой бы она ни была. Готовность принимать означает, что вы понимаете, что к вам может придти что-угодно и оно не останется с вами навечно. Оно придет и уйдет. Разве энергия когда-нибудь останавливается? Нет.

Каждый раз, когда вам что-то не нравится или, вы считаете что-то неправильным, вы перекрываете поступающую от этого энергию, а энергия – это источник всего в нашей жизни. Это то, что создает все возможности. Когда мы не желаем что-то принимать, мы останавливаем идущий к нам поток энергии и блокируем энергию Вселенной. Все, что мы отказываемся принимать, равняется невозможности получать деньги. Мысль «мне не нравятся блондинки/блондины» означает, что вы не сможете получать деньги от всех людей со светлыми волосами. Если вы – моралист, значит, вы не сможете принимать деньги от аморальных личностей.

Как только вы осознаете, что все вокруг является частью вашей Вселенной, вы сможете выбирать то, что вам хотелось бы иметь. Это отличается от отказа от вещей, которые вы оцениваете, как плохие или нежелательные. Когда вы стараетесь что-то отбросить из своего мира, вы не в состоянии ничего принимать, включая и деньги. Почувствуйте энергию осуждения кого-либо или самих себя. Что вы ощущаете? Когда у вас приступ осуждения, это раскрывает вашу жизнь или наоборот, сужает? Сужает. Когда вы кого-нибудь осуждаете, ваша жизнь как-будто схлопывается. Вы проваливаетесь в собственную черную дыру. Когда вы находитесь в таком состоянии, что вы готовы получать от других? Ничего. Вы отрицаете вероятность того, что кто-то или что-то может поспособствовать вам в получении денег.

Вы должны уметь принять все, даже осуждение вас окружающими. Осуждение - это то, что многие люди принимать не желают, они не хотят, чтобы кто-то их судил. Они отказываются принимать осуждение. Но само по себе суждение не является истиной. Вас кто-то считает уродом или красавцем, толстяком или худышкой, лентяем или трудоголиком? Ну и что? Это всего-лишь их суждение. Каждый раз, когда вы готовы принять чье-либо суждение – не считать его реальным, а просто принять – вы получите дополнительно 5 000 долларов в год. Вы должны быть готовы принять осуждение, как и все остальное, если вы хотите иметь деньги.

Британский бизнесмен, Ричард Брэнсон, один из самых состоятельных людей в мире, готов принять самые разные суждения. Если вы собираетесь иметь большое количество денег, вам придется принять множество суждений – такова реальность. Люди будут осуждать вас за то, что у вас есть деньги. Как говорят в Австралии: "You cut down the tall poppies"[1]. По их мнению, вы не должны выделяться из толпы, в противном случае вас

---

1   Пер. с англ. «Выскочек нужно ставить на место».

быстро вернут с небес на землю. Супербогатые люди получают в свой адрес какие-угодно суждения, но если они ведут себя как Ричард Брэнсон и не считают суждения других правдивыми, они не блокируют себе возможность обладания деньгами. Позвольте себе принимать осуждение окружающих. Их точка зрения о вас – это всего лишь их точка зрения. Не сопротивляйтесь ей и не реагируйте на нее, не соглашайтесь с ней и не отказывайтесь от нее. Просто скажите себе: «Хм. Это интересная точка зрения».

Одна женщина рассказала мне, как однажды, идя по Маркет-стрит в Сан-Франциско, она увидела бомжа на тротуаре. Ее привычной реакцией было бы неприятие и его и собственного страха того, что в один прекрасный день она сама может оказаться без крыши над головой. Но вместо привычной реакции она сказала себе: «Я всецело приму этого человека и тот факт, что однажды могу очутиться рядом с ним». Как только она это сделала, ее страх превратиться в бомжа растворился. Она поделилась с нами своими наблюдениями: «Я поняла, что быть бездомной тоже было частью моего мира, как и все остальное, но я знала, что не обязана выбирать становиться бомжом».

Один из любимых моих примеров, иллюстрирующих важность способности принять все, - это случай, произошедший со мной, когда я работал в Хьюстоне с владельцем магазина одежды в излюбленном районе геев. Его бизнес не приносил дохода, и он как-то обратился ко мне: «Я нуждаюсь в вашей помощи. Не знаю, что происходит, но мой бизнес прогорает». Я отправился в магазин посмотреть на товар. Все выглядело отлично. Глянул на его бухгалтерию – там тоже порядок. Я не заметил ничего из ряда вон выходящего. Тогда я попросил рассказать о покупателях. Он стал их описывать: «Большинство – очень приятные люди, но попадаются такие типы, которые мне не по душе».

«И что это за типы?», - спросил я.

«Ну, женоподобные такие», - прозвучал ответ.

На что я ему сказал: «Да неужели? У тебя магазин в районе, где живет большинство геев, и тебе не нравятся женоподобные типы? И кто же ходит по магазинам в районе, где живут геи? Натуралы? Нет. Может, жены натуралов ходят по магазинам в «голубом» районе города? Нет. Было бы лучше если б ты решил, что тебе они все-таки нравятся. Это же твои покупатели».

«Да, но я терпеть не могу, когда они со мной заигрывают», - возразил он.

«А ты когда-нибудь заигрывал с женщинами?» - задал я вопрос.

«Ну, когда жены нет рядом», - был ответ.

«Когда ты заигрываешь с женщинами, ты расчитываешь с ними переспать?», - продолжил я.

«Нет, мне просто нравиться флиртовать», - ответил он.

«А что если этим типам тоже просто нравится с тобой флиртовать?», - в свою очередь предположил я.

«Нет, я не могу себе этого позволить», - запротестовал он.

«Похоже, что тебе придется с этим смириться, если ты хочешь, чтобы твой бизнес был успешен. Я сейчас буду вести себя как женоподобный тип, который с тобой заигрывает, а ты будешь учиться со мной разговаривать», - ответил я.

И я начал: «Шикарная одежда у тебя, милый». Мой бизнесмен сразу же потерял самообладание.

Я продолжил: «Знаешь, мне бы так хотелось заняться с тобой сексом».

«О, господи!», - выдохнул он.

После сорока пяти минут работы мы подошли к моменту, когда владелец магазина наконец смог начать флиртовать в ответ. Игра с энергией стала приносить ему удовольствие, и через два месяца его дела здорово пошли в гору. Только потому, что с вами флиртуют и вы отвечаете тем же, не означает, что вы должны с ними совокупляться. Это не значит, что вы обязаны довести начатое до логического завершения. Это всего лишь означает, что у вас есть желание принимать энергию.

Меня как-то спросили: «А если вокруг вас опасные или сумасшедшие люди, как их принимать?»

Я ответил: «Легко. Вы ведь отдаете себе отчет в том, что они сумасшедшие. Знаете, что от них исходит опасность. Вы бы не стали подвозить таких людей в своей машине или приглашать к себе домой. Просто ведите себя осознанно и никого не осуждайте». Я не осуждаю людей и по этой причине могу принимать деньги от кого угодно. Это не означает, что мне нужно иметь дело со всеми этими людьми. Это просто означает, что готов принимать их энергию.

Одна женщина, услышав историю про владельца магазина одежды, спросила меня: «А что делать, когда ты принимаешь энергию вожделения от мужчины, и он потом начинает распускать руки?»

Я посоветовал ей в таком случае сказать: «Дорогой, если ты еще раз так сделаешь, я отрежу тебе твои причиндалы».

Она возразила: «Да, но десять секунд назад вы нам рассказывали о том, как принимать энергию и флиртовать!»

Я ответил: «Так и принимайте. Вы только что получили информацию о том, что он кретин. Если вы пофлиртовали или поужинали с кем-то, это еще не означает, что вы должны пойти с ним в постель».

Женщины всегда контролируют ситуацию. Это они имеют право сказать: «Иди сюда. Нет. Можно. Нельзя». Если мужчина позволил себе дотронуться до женщины, он зашел слишком далеко. Удивительно, сколько мужчин привыкло оставаться безнаказанными за такое поведение.

Если происходит подобное, берите ситуацию в свои руки. Скажите: «Еще раз так сделаешь, и я отрежу тебе яйца». Когда вы говорите нечто подобное, внезапно вы им очень нравитесь. Они вас уважают. Им очень давно хотелось, чтобы кто-нибудь поставил их на место, и именно у вас хватило смелости это сделать. Вы должны быть готовы принять любую энергию, но это не означает, что вы должны что-то делать в ответ. Это не значит, что вы должны под кого-то прогибаться. Принятие не означает, что о вас можно вытирать ноги.

Если вы действительно хотите жить в изобилии и иметь все, включая самые немыслимые суммы денег, вы должны быть готовы принимать все. Вы также должны быть готовы быть всем, делать, иметь, создавать и генерировать все в своей жизни. Остальное – это действия на основе суждений, а это блокирует вашу способность быть всем и принимать все.

ГЛАВА 3
Жить В Состоянии Вопроса

Отличия Контекстуальной И Неконтекстуальной Реальностей

Суть этой реальности, которую мы с Дэйном называем контекстуальной, сводится к тому, как вы побеждаете, как вы проигрываете, где вы подстраиваетесь, а где получаете выгоду. Это ограниченная точка зрения нашей Вселенной. Несмотря на то, что контекстуальная реальность составляет всего десять процентов Вселенной, большинство предпочитает жить и работать в ее пределах. Каждый раз, когда вы утверждаете «Я не могу это сделать» или «Это не получается», вы исходите из контекстуальной реальности. Только в контекстуальной реальности возможно переживать огорчения или беспокойство.

Контекстуальная реальность определяет ограничения в жизни. Она является системой суждений этой реальности, т.к. суждения необходимы чтобы определить, побеждаете вы или проигрываете, приспосабливаетесь ли вы или же извлекаете выгоду. Огромное количество людей живет в контекстуальной реальности, поэтому избавиться от нее невозможно. Ее невозможно уничтожить, нельзя жить за ее пределами. Нужно научиться жить вместе с ней, но вы не обязаны жить внутри ее! Вы можете жить в неконтекстуальной Вселенной или в неконтекстуальной реальности. Неконтекстуальная реальность основана на осознанности, возможностях и выборе. Она касается таких вопросов, как: «Какие здесь есть возможности? Какие вопросы я могу задать? Какие варианты выбора у меня есть? Что со своей стороны я могу сделать?» Когда вы спрашиваете: «Как бы это могло проявиться как нечто лучшее, чем я себе могу вообразить?», вы функционируете в неконтекстуальной реальности. Если контекстуальная реальность составляет десять процентов Вселенной, то неконтекстуальная реальность - все 990%.

«Феномен», фильм 1996 года, является великолепным примером неконтекстуальной реальности. Главный герой, которого сыграл Джон Траволта, живет с позиции неконтекстуальной реальности. Ему все доступно. Многие находят его странным из-за его способностей - когда вы начинаете действовать исходя из своих способностей, многие тоже могут начать считать вас странными. Вы должны быть готовы к тому, что вас будут принимать за чудака, иначе вы не сможете жить на полные 1000 процентов Вселенной. Вселенная дарит вам невероятные шансы. Когда вы открываете себя для неконтекстуальной реальности, вы впускаете эти возможности в свою жизнь. Как это можно сделать? Одна из основных вещей, которую вы можете сделать, чтобы начать жить в неконтекстуальной реальности и изменить не только свой финансовый мир, но и всю свою жизнь - это начать жить в состоянии вопроса.

Жить в состоянии вопроса означает пригласить Вселенную вас поддержать, задавая неограниченное количество вопросов. Все во Вселенной обладает сознанием, и каждая ее существующая молекула будет помогать поддерживать вас. Наука подтверждает, что наблюдатель может изменить структуру молекулы одним своим взглядом. Сознание молекул содействует нам; содействие является частью их природы. Если мы не понимаем, что оказываем влияние на каждую молекулу, с которой сталкиваемся, то не позволяем молекулам с нами сотрудничать и не получим от них то, что они стараются нам дать.

Жизнь в состоянии вопроса является противоположной попыткам просчитать ситуацию. Когда вы стараетесь продумать то, как вы собираетесь что-то реализовать, вы уходите в просчитывание ответа вместо того, чтобы пригласить Вселенную предоставить вам бесконечные возможности. Не пытайтесь ничего продумывать. Ваш ум – опасная вещь. Он может дать определение только тому, что вы уже знаете. Он не может быть безграничным и беспредельным. Когда у вас есть ответ, значит это и есть финал того, что может для вас произойти. Когда же вы задаете открытый вопрос наподобие «Что было бы нужно для того, чтобы ...произошло?», вы приглашаете Вселенную вас поддержать причем так, как вы даже не могли бы себе представить.

На протяжении этой книги мы предлагаем большое количество разнообразных вопросов и процессов, которые вы можете использовать для того, чтобы изменить свои взгляды на мир и освободить тем самым свои способности генерировать неограниченные суммы денег. Начнем с обсуждения того, как формируются ваши взгляды, которые ограничивают количество денег в вашей жизни, и как можно использовать вопросы, чтобы очистить от них ваше пространство.

Выверенный План

Окружающий мир не решает, какова ваша жизнь, ведь мир не имеет точек зрения. Все совсем наоборот - мир вокруг вас поддерживает ваши представления о нем. Другими словами, ваши точки зрения создают вашу реальность. Ваша реальность не формирует ваши взгляды. Осознаете ли вы это? Например, если вы придерживаетесь точки зрения, что за деньги нужно бороться, в вашей Вселенной всегда будут возникать трудности, связанные с деньгами. Те, кто перенимает такие взгляды от родителей, будут продолжать бороться за деньги до тех пор, пока не разблокируют свои тупиковые представления о деньгах. Поговорка «Яблоко от яблони недалеко падает» выражает идею того, что вы не можете подняться выше той среды, в которой вас вырастили.

В Теннесси мы повстречали мужчину, который представил эту идею в другом ключе. С сильным южным акцентом он нам заявил: «От осинки не родятся апельсинки3». Я подумал: «Хм. Что бы это значило?» и сразу представил кекс с изюминой сверху. Потом до меня дошло, что он имел в виду не питание, а воспитание,[2]

---

[2]   В оригинале «You can't go above your raisin'» слова «изюм» и «воспитание» по-английски звучат схоже (raisin и raising/raisin').

в смысле: «Выше своего воспитания не заберешься». Если вы выросли в бедности, то предполагаете, что бедность - это правильно и нормально. Если вы были воспитаны в семье среднего класса, то предполагаете, что жить в среднем классе это правильно и нормально. Вы перенимаете точки зрения окружающих вас людей и потом, исходя из этого, вы создаете свою реальность.

Большинство людей строит свой жизненный путь, опираясь на выверенный план, который был в их жизни еще с раннего детства. Выверенный план не является для вас естественно присущим. Это взгляды, наработанные вами с годами. Они проявляются когда вы говорите «вот то, какими должны быть деньги» или «именно так с деньгами и обращаются». Вы решаете, что нечто должно происходить именно так, и потом собираете доказательства в подтверждение правильности своего мнения. Вы не смотрите на реально обстоящие дела. Вы смотрите только на то, как бы вы хотели, чтобы дела обстояли, или как вы уже решили они обстоят.

Например, случалось ли когда-нибудь в ваших отношениях так, что вы уделяли так много внимания желаемому образу своего партнера, что в результате переставали видеть, каким он или она были на самом деле? «Я его/ее обожаю! Он такой чудесный!» Ну да, они все чудесные, пока не начинают вести себя гнусно, мерзко и отвратительно по отношению к вам. Если вы будете сосредоточены на идеализации их образа и том, как бы вы хотели продолжать ваши отношения, вместо того, чтобы трезво посмотреть и на своего партнера и на отношения, то в скором времени начнете говорить так: «Ну, в конце концов, все когда-нибудь наладится». Картинка, которую вы себе нарисовали, не соответствует никаким фактам. Это всего лишь ваш выверенный план.

К примеру, вы верите в следующее: «Я могу получить деньги только работая с девяти до пяти». Вы берете эту установку с неба или из головы своих родителей и решаете: «Так оно и есть». Потом вы начинаете подыскивать доказательства, с помощью которых можно было бы утверждать, что ваша придуманная установка верна. Вы начинаете строить свою жизнь так, чтобы доказать правильность своей точки зрения. Смотрите ли вы за пределами узких границ доказательств, которые, как вам кажется, подтверждают вашу точку зрения? Нет. Вы не действуете осознанно - вы действуете исходя из своего выверенного плана.

Одна наша знакомая рассказала нам, что ее отец отказался от должности вице-президента нефтяной компании, чтобы стать профессором. Ее семья отталкивалась от выверенного плана, что образование – самая главная вещь на свете, и только у «необученных» людей водятся деньги. Всей своей жизнью они пытались доказать превосходство существования без денег.

У Дэйна в семье была подобная ситуация. Его родственники, как он рассказывал, жили в соответствии с таким выверенным планом: «Может денег у нас и нет, но в отличие от богатых, мы - счастливы». Однако Дэйн с этим не соглашался. Его обычной реакцией было: «Когда вы в последний раз смотрели на себя в зеркало? Разве это - то, что вы называете счастьем? Пусть лучше у меня будут деньги, и я попробую пожить наоборот.

Меньше счастья чем у вас по жизни все-равно уже быть не может».

Другой наш знакомый признался, что он был «периодически счастлив» за сорок два года брачных отношений. Его родители были женаты шестьдесят восемь лет, и он для себя решил, что тоже сможет повторить их пример. Он создал точно такую же семейную модель, как у родителей – надежную, но не особо счастливую. Он решил, что длительный брак – это хорошо, и потом пытался создать для себя соответствующую реальность, во что бы то ни стало.

Для того чтобы сделать правильным то, что таковым не является, мы собираем доказательства, подтверждающие нашу точку зрения. Выверенные планы являются интересными точками зрения, которые демонстрируют правильность всех ограничений в вашей жизни. Каждое ограничение в вашей жизни основается на выверенном плане. Абсолютно каждое.

Одно из того, что мы больше всего хотим в жизни, это удержать правильность наших точек зрения, даже если это нам не удается. Выверенные планы более активны и интенсивны, они сужают и ограничивают наши возможности больше, чем что-либо другое в жизни. Если в какой-то сфере вашей жизни не происходят желаемые изменения, наверняка там действует выверенный план или несколько миллионов ему подобных, не давая ей меняться.

Если какая-то область вашей жизни не меняется, задайте себе вопрос: «Сколько выверенных планов у меня имеется, чтобы удержать это без изменений?» Затем используйте следующее очищающее утверждение: **«РАЙТ, РОНГ, ГУД, БЭД, ПОК, ПОД, ОЛ НАЙН, ШОРТС, БОЙЗ ЭНД БЕЙОНДЗ». (с английского Right, Wrong, Good, Bad, POC, POD, All 9, Shorts, Boys And Beyonds™).**

Необязательно заниматься поиском ответа. Вопрос выводитнаповерхностьэнергиюиочищающеевыражение направляется прямиком в точку создания выверенного плана или в точку разрушения, где вы разрушили часть своего сознания или своей осознанности, чтобы удержать на месте какую-то ограничивающую точку зрения, там оно сотрет ваш выверенный план, тем самым раскрывая для вас новую возможность. Неважно, когда произошли точки создания или разрушения – на прошлой неделе или миллион лет назад. Очищающее выражение переносит вас туда, где это произошло в первый раз, и убирает решения, которые вы приняли. Это происходит с помощью энергии, когда вы задаете вопрос и произносите очищающее выражение.

В конце этой книги вы найдете больше информации касаемо очищающего выражение, но его совершенно не обязательно понимать, чтобы оно сработало. Когда вы захотите разобраться, что конкретно оно означает, вы можете про это почитать или пойти на семинар «Access» и попросить кого-то вам его объяснить.

Конфликтные Вселенные

Многие люди ненавидят деньги и, возможно, вы тоже относитесь к их числу. Если у вас денег немного, то скорее всего вы их тоже ненавидите. Если бы вы были готовы любить деньги, у вас, вероятно, их было бы гораздо больше, и вам жилось бы на этом свете легче.

Говорили ли вам в детстве, что любовь к деньгам – это корень зла? И вы отказываетесь быть воплощением зла? Но в то же время разве бы вам не хотелось иметь больше денег? Получается дилемма, не так ли? Это то, что мы называем конфликтной вселенной, конфликтной реальностью или противоречивой парадигмой.

Все, что вы сделали для отождествления денег со злом, и зла с деньгами, а также все ваши попытки не быть порочным, изо-всех сил стараясь не иметь денег, согласны ли вы все это разрушить и рассоздать? **«РАЙТ, РОНГ, ГУД, БЭД, ПОК, ПОД, ОЛ НАЙН, ШОРТС, БОЙЗ ЭНД БЕЙОНДЗ».**

Все, что вам надо сделать с вопросом «Согласны ли вы все это разрушить и рассоздать?», это ответить «да». Но удостоверьтесь, что ваш ответ действительно положителен. Многие говорят «да», когда на самом деле подразумевают «нет». Ваша готовность изменить ситуацию дает начало процессу изменений. Затем произнесите очищающее утверждение, которое энергетически устраняет все ограничения.

Решения, Суждения, Расчеты Или Выводы (РСРВ)

Вы уже решили для себя, что принесут, а что не принесут вам деньги? Вы уже определили для себя, что хорошо, а что плохо? С принятием решений, суждений, расчетов и выводов (РСРВ) существует большая проблема. Любое решение, суждение, расчет или вывод (РСРВ) будет ограничивать то, что вы можете иметь.

Каждый раз когда вы принимаете решение, делаете суждение, просчитываете или делаете вывод, вы вынуждены доказывать его «правильность». Скажем, вы в поте лица над чем-то работаете, к примеру, над новым бизнесом. Наступает момент, когда вы думаете, что все должно пойти по представленному вами пути, но так не получается. Тогда вы решаете: «Это не получилось».

Когда вы делаете вывод «не получилось», вы остановливаете поток энергии, которым пользовались для генерирования того, что желали иметь, и вам приходится начинать проект заново, чтобы построить что-то еще. Затем, когда он тоже не осуществляется, вы опять решаете: «Не получилось» и весь цикл начинается заново. Фраза «Не получилось» относится к разряду РСРВ. Она остановливает энергию. Вы приходите к заключению и больше здесь ничего не достичь. Все, что вы создавали, разваливается по частям. Это ставит вас в непрерывный цикл создания-и-разрушения.

Вместо того чтобы создавать РСРВ вроде «не получилось», вам следует задать вопрос. Например: «Хм. Это не вышло так, как я хотел. А что еще возможно?» В отличие от РСРВ типа «У меня все под контролем» или «Это правильный выбор» или «Дела обстоят именно так», вам нужно жить в состоянии вопроса.

Многие из нас выбирают то, что ощущается нам знакомым или удобным. Но если вы выбираете только то, что вам знакомо или удобно, то и через десять лет вы получите тот же самый результат, что получали всегда. Вы будете продолжать выбирать все те же вещи, что и всегда, и будете получать все тот же результат, который всегда получали. А что если бы вы были готовы выйти за пределы зоны своего комфорта? РСРВ способствуют созданию комфортной для нас зоны, исходя из которой мы и действуем. К несчастью, такие РСРВ также накладывают огромные ограничения на вашу жизнь в отношении финансов.

Любопытно, что Ричард Брэнсон никогда не делает заключений. Когда у него не получается так, как он хотел, он задает себе вопрос: «Что можно сделать иначе, чтобы получить другой результат?» Готовность взглянуть на возможность создания чего-то иного и готовность к новым действиям, которые приведут к другим результатам, поддержит вас на пути к созданию и владению деньгами.

> Сколько вы приняли решений, суждений, рас-
> четов и выводов (РСРВ), которые ограничивают
> количество денег, которое вы могли бы иметь?
> Согласны ли вы все это разрушить и рассоздать?
> **«РАЙТ, РОНГ, ГУД, БЭД, ПОК, ПОД, ОЛ НАЙН,
> ШОРТС, БОЙЗ ЭНД БЕЙОНДЗ».**

Попытки Превратить Решение в Истину.

На одном из наших занятий мы работали с женщиной, которая не переставала повторять: «Я чертовски бедна».

Я спросил ее: «Это, по-вашему, вопрос?»

После нашего разговора ей стало ясно, что она жила всю свою жизнь исходя из решения, которое она пыталась превратить для себя в истину. «Я чертовски бедна» не является истиной! Это плохое решение. Она пыталась превратить свои плохие решения в истину.

Превратили ли вы решение о своем финансовом положение в истину? Согласны ли вы это разрушить и рассоздать? **«РАЙТ, РОНГ, ГУД, БЭД, ПОК, ПОД, ОЛ НАЙН, ШОРТС, БОЙЗ ЭНД БЕЙОНДЗ».**

Другая дама обратилась ко мне на одном из занятий с вопросом: «Вы не могли бы мне помочь разобраться с тем, что мне не понятно? После того, как я начала заниматься «Access» в прошлом году, я сделала больше денег и с большей легкостью, чем когда-либо в жизни. Я выбросила некоторые ограничения и после этого я начала генерировать большие суммы. Потом, ни с того ни с сего, этот процесс со скрипом затормозил. Просто раз - и все! Денег не стало. Я не пойму, что произошло».

После того, как мы немного поговорили, она поняла, что оказывается приняла решение: «Отлично! Наконец-то я все поняла. Теперь я знаю, как это делается».

Как только вы подумали «я все понял», вы прекращаете поток энергии и останавливаете свой доход. Почему так происходит? Потому что вы остановили энергию, которая генерировала для вас то, что было возможно. Изначально эта дама была активно заинтересована в генерировании энергии денег и постоянно задавала вопросы, но потом она перешла на «Я все поняла». Разве «Я все поняла» - это вопрос? Нет. Разве «Я все поняла» приглашает энергию Вселенной к вам на помощь? Нет. Это решение. Оно сообщает Вселенной, что вам больше не нужно ее участие. Если вы не готовы задавать Вселенной вопросы, она не сможет вам содействовать. Но когда вы живете в состоянии вопроса, Вселенная берет вас под свое крыло.

Утверждения с «вопросительным знаком в конце» составляют одну из разновидностей РСРВ. По сути, они не являются вопросами. Иногда люди делают вывод и затем перефразируют его в вопрос. Но если вы даже поставите вопросительный знак в конце утверждения, вопросом оно от этого не станет.

После очередного занятия у одной участницы разболелась голова, и она решила, что причиной ее головной боли был наш семинар. Она спросила: «Что здесь не так, что привело к моей головной боли?» Разве это вопрос? Нет. Это утверждение с вопросительным знаком в конце. После того, как мы углубились в происходящее, выяснилось, что ей просто нужно было отдохнуть и немного подвигаться. Она видела, что ее телу нужно было расслабиться и пойти поплавать, но ей даже в голову не пришло это сделать, т.к. она уже решила, что было что-то не так. Она поспешила с выводом. Она не задавала вопросов. Она не спрашивала свое тело: «Что тебе нужно?» Ваше тело - это чувствительный организм. Его работа состоит в том, чтобы передавать вам информацию. Когда вы делаете заключения о своем теле, не интересуясь, что ему необходимо, ваша головная боль или любая другая информация, которую оно передает вам в виде ощущений, станет усиливаться. Ощущения становятся интенсивнее по мере того, как, ваше тело будет стараться рассказать вам о том, что ему неоходимо. Если что-то продолжает непрерывно ухудшаться, значит, вы приняли РСРВ или создали выверенный план. Вернитесь к этому и исправьте с помощью очищающего утверждения и потом начните задавать вопросы. Когда у меня проблемы с телом, я его спрашиваю: «Тело, что тебе нужно?» И перечисляю: вода, соленое, сладкое. Если оно отвечает: «Воды», я спрашиваю: «Хочешь пить? Плавать? Окунуться в воду? Принять душ?» Мое тело всегда сообщает мне, что ему нужно, если я задаю ему вопрос.

Проблемы, Которые Вам Не Принадлежат

Иногда мы берем на себя проблемы, которые даже не являются нашими, а потом прилагаем все усилия, чтобы с ними справиться. Удается ли нам это? Можем ли мы их разрешить? Нет! Ведь эти проблемы нам даже не принадлежат. Когда Дэйну было около тринадцати лет, он начал пытаться разбираться с «его собственными» финансовыми проблемами. Годами позже, после того, как он начал заниматься «Access», он обнаружил, что то, что он считал своей денежной проблемой, не являлось его проблемой вообще. Данная проблема ему не принадлежала. Это была проблема его отца. Отец владел бизнесом, который шел ко дну, и его личная денежная проблема превратилась в денежную проблему всей семьи, а Дэйн пытался с ней справиться как со своей собственной. Дэйн считал себя неудачником в финансовых вопросах, или другими словами, он перенял точку зрения своего отца по поводу денег, что вся жизнь упирается в деньги, которые ты не имеешь и не можешь сделать.

Дэйн унаследовал точку зрения «я - финансовый неудачник», которая не являлась его собственной, и перенес ее на свою жизнь, считая самого себя неудачником в финансовых делах и именно это он впоследствии и создал. У него даже была девушка, которая твердила ему, что он «неудачник в денежных вопросах». Когда Дэйн осознал, что проблема с деньгами его отца не является его проблемой и начал использовать очищающее утверждение, в его финансовом мире все резко изменилось. Расставшись с девушкой, которая верила в то, что он - «неудачник в денежных вопросах», Дэйн стал сразу же с легкостью получать деньги. В течение последующих трех месяцев он сделал больше денег, чем за последние три года.

Люди постоянно принимают чьи-то точки зрения за свои. Вы когда-нибудь делали неудачные попытки исправить финансовую ситуацию вашей семьи или решить какую-то другую подобную проблему? Вы когда-нибудь предполагали, что это, должно быть, ваша проблема? Принимали ли вы ее за свою, просто для того, чтобы что-то решать, поскольку у вас особый талант в решении проблем? И решить ее вы не могли, потому что она изначально было совсем не вашей. Это до сих пор не ваша проблема и ей никогда не будет. Но у вас полно выверенных планов, которые делают эту проблему вашей. Сколько у вас есть подтвежденных планов и

РСРВ, с помощью которых вы превращаете «свою» проблему (проблему, которой у вас в действительности нет, поскольку это чужая проблема,) в нечто, что вы пытаетесь разрешить?

Старались ли вы с детства справиться с проблемой вашей семьи? С какого возраста вы начали заниматься финансовыми вопросами своей семьи? Все, что вы сделали для создания выверенных планов и РСРВ по этому поводу, согласны ли вы это разрушить и рассоздать? **«РАЙТ, РОНГ, ГУД, БЭД, ПОК, ПОД, ОЛ НАЙН, ШОРТС, БОЙЗ ЭНД БЕЙОНДЗ».**

«Кому это принадлежит?»

Мы перенимаем не только чужие проблемы, мы еще забираем чужие мысли, чувства и эмоции, и также ошибочно причисляем их к своим. На самом деле, 98% «ваших» мыслей, чувств и эмоций - не ваши. Они принадлежат окружающим вас людям. Вы исполняете роль гигантского экстрасенсорного радиоприемника.

Дэйн рассказывает, как однажды он сидел за завтраком перед телеконференцией, в которой он принимал участие. Ни с того ни сего он страшно занервничал. Он стал судорожно искать имейл с информацией и номером для телеконференции, необходимые для того, чтобы сделать звонок. Дэйн все больше и больше заводился: «Куда же он запропастился? Где же он?» Вдруг он резко остановился: «Ничего себе! Ведь я же себя так обычно не веду. Я так не паникую. Окей, кому же это принадлежит?»

Чувство паники моментально прошло и бесследно испарилось. Это было не его чувство.

Каждый раз, когда на вас находит эмоция, мысль или чувство, задавайте себе вопрос: «Кому это принадлежит?» Если это не ваше, оно моментально пройдет. Это может принадлежать вашему соседу по улице или прохожему, который шел мимо. Вам не нужно знать чье это, просто верните все обратно отправителю.

Используйте этот инструмент каждый раз, когда вы замечаете, что у вас возникают ограниченные взгляды на деньги: «Денег не хватает», «Тяжело заработать достаточно денег», «У меня никогда не будет нужной работы» или любые другие нелепые мысли о деньгах. Некоторым лучше помогает задать вопрос трижды: «Кому это принадлежит? Кому это принадлежит? Кому это принадлежит?» Вы можете задать вопрос иначе: «Это мое или чье-то чужое?» Если почувствуете себя легче, значит - не ваше. Если вы почувствуете тяжесть, спросите себя: «Как я это создал?» или «Я принял это за свое, хотя оно было чужим?» В таком случае воспользуйтесь очищающим утверждением.

Дэйн рассказал историю, которая великолепно иллюстрирует наш пример: «У меня был хороший друг, который однажды сделал мне подарок, секунду спустя после того, как я его получил, меня посетила мысль: «Он дарит мне это потому, что хочет меня контролировать. Он потом это использует против меня». Так я и сидел, с прекрасным подарком от друга и тяжестью внутри.

Потом я вдруг вспомнил, что если что-то заставляет вас чувствовать себя тяжелее, значит это ложь. Правда всегда делает ваши ощущения легче. Я сказал себе: «Минуточку! Кому это принадлежит?», и тут же почувствовал себя легче. После того, как я произнес очищающее утверждение, мне стало еще легче.

Только три месяца спустя я внезапно осознал, что мне это досталось от отца! Мой отец – довольно завистливый тип и считает, что все вокруг против него. Я так давно перенял у него это убеждение и оно так долго было в моем мире, что мне стало казаться, что оно принадлежит мне».

С момента своего появления вы, как сущность, являетесь высокоосознанным. Вы осматриваетесь и думаете: «Какое классное место! Посмотрим, как здесь все устроено». И вы все оцениваете. Вы изучаете людей, вы принимаете и воспринимаете все, что с ними происходит. И поскольку большую часть времени вы проводите с родителями, вы подхватываете имеющиеся у них мысли, чувства, эмоции и точку зрения «нет-секса», и, в конце концов, вы перенимаете эти точки зрения как свои собственные.

Когда мы говорим о точке зрения «нет-секса», мы не имеем в виду совокупление, которое, как многие думают, означает секс. С точки зрения «Access» секс – это то, как вы себя ощущаете в те дни, когда у вас все получается, и вы чувствуете себя великолепно. В эти дни вас сопровождает особая энергия. Вы знаете, что хорошо выглядите, и все вокруг это замечают, вы не стесняетесь себя демонстрировать. Обращали ли вы внимание, что в такие дни вы расположены получать от окружающих гораздо больше? Ну, а «нет-секса» означает ровно противоположное. Другими словами, «нет-секса» – это «нет-принятия».

Даже несмотря на то, что вы решили не превращаться в своих родителей, замечали ли вы, что создаете сходную с ними финансовую ситуацию? Знаете ли вы, почему так происходит? Потому что в детском возрасте задолго до того, как вы поняли, что такое деньги, вы переняли их мысли, чувства, эмоции и точку зрения «нет-секса» (нет-принятия) и с тех пор вы действуете, исходя из этого.

В течение следующей недели каждый раз, когда у вас будет возникать некая точка зрения о деньгах, задайте вопрос: «Кому это принадлежит?» Вы также можете спросить: «Это мое или чье-то чужое?» Если она станет легче, верните ее обратно отправителю. Если станет ощущаться тяжелее или вначале станет легче, а потом тяжелее, спросите: «Как я это создал?» или «Принял ли я это за свое, хотя оно было чужим?» «Все связанное с этим, согласны ли вы это разрушить и рассоздать и вернуть отправителю, приложив осознание этого?у 7». **«РАЙТ, РОНГ, ГУД, БЭД, ПОК, ПОД, ОЛ НАЙН, ШОРТС, БОЙЗ ЭНД БЕЙОНДЗ».**

Когда вы используете эти вопросы, вы начинаете иначе смотреть на все вещи в своей жизни. Вы станете замечать, в каких областях у вас имеются ограниченные точки зрения касаемо денег, а где у вас широкие взгляды. Вы начнете вырабатывать другой способ восприятия мира, а так как ваши взгляды формируют вашу реальность, вы начнете генерировать совсем иные события в своей жизни.

ЧЕТЫРЕ ЭЛЕМЕНТА ГЕНЕРИРОВАНИЯ БОГАТСТВА

Четыре Элемента Генерирования Богатства

Существует четыре элемента генерирования богатства:

1. Будьте готовы иметь деньги
2. Генерируйте деньги – не пытайтесь их создавать
3. Займитесь самообразованием в области денег и финансов
4. Вырабатывайте щедрость духа

Для того, чтобы по-настоящему быть осознанным с деньгами и генерировать богатство, вы должны быть готовы иметь деньги, вы должны быть способны генерировать деньги, вам придется заниматься самообразованием касаемо денег и придется начать практиковать щедрость духа в своей жизни. Эти четыре составляющие сделают желаемое богатство для вас возможным. На последующих страницах мы остановимся на каждом из этих элементов и предложим вам множество вопросов и других инструментов, с помощью которых вы сможете начать генерировать богатство в своей жизни.

Глава 4
Первый элемент генерирования богатства
Будьте Готовы Иметь Деньги

Отличие Между Владением Деньгами И Добыванием Денег, Сбережением И Тратой Денег

Вам нравится сберегать деньги? Мне нравится. Моей бывшей жене это тоже нравилось делать. По приходу домой она заявляла: «Милый, я «сэкономила» нам сегодня 2 000 долларов».

Я в ответ: «Неужели? Как тебе это удалось?»

Она поясняла: «Я купила платье, которое было уценено с 2 800 долларов до 800 долларов».

Многие, как и моя бывшая жена, неправильно интерпретируют и применяют идею сбережения. Они думают, что сохранять деньги значит делать покупки на распродажах. Извините, но это называется тратить. Давайте посмотрим на сумму, которую вы потратили? Наша знакомая Симон работала в бизнесе розничных продаж. Она рассказывала, что, если им хотелось продать вещь за 80 долларов, они на ценнике писали 350, затем перечеркивали 350 и ставили 250, потом перечеркивали 250 и писали 150, потом опять перечеркивали цену и ставили 80. Покупатели заходили в магазин и, взглянув на ценник, говорили: «Ух ты! Смотри, какой пиджак – был 350, стал 80! Надо брать!» Они «сберегли» 270 долларов.

Понятие «иметь деньги» отличается от понятий «получать», «копить» или «тратить» деньги. Обладание деньгами – это способ бытия в этом мире. Это тот уровень энергии, на котором вы чувствуете, что в вашей жизни нет ни в чем недостатка. У вас ощущение, что всегда есть выбор. Вы не чувствуете, что вам нужно добывать деньги. Добывание денег всегда связано с чувством недостатка. «Мне это не по-карману. Мне это так нужно. Это мне не светит. Я не могу этого себе позволить». Каждый раз, когда вы думаете о том, чтобы добыть деньги, вы сосредоточены на «нехватке». Вы действуете, исходя из идеи, что вы имеете недостаточно, поэтому вам нужно добыть больше.

Владение деньгами означает, что вы не действуете из позиции дефицита. Когда вы готовы иметь деньги, вы можете их генерировать без особых усилий. У нас есть знакомая, которая является этому прекрасным примером. Она родилась в состоятельной семье и никогда не считала, что может не иметь денги. Напротив, она была абсолютно готова обладать деньгами. У нее всегда было много денег. Она находит работу, которая ей оплачивается лучше, чем другим. Она вышла замуж за очень богатого мужчину, и по нынешний день у нее полно денег. Почему? Потому что у нее нет точки зрения о том, что денег может не быть. Наоборот, она способна владеть деньгами.

Вы когда-нибудь замечали, что люди с деньгами, кажется, всегда получают еще больше? Почему так происходит? Потому что эти люди, как и наша знакомая, готовы иметь деньги, они им нравятся. Такие люди вибрационно совместимы с деньгами и для них вибрационно привлекательны. Деньги сами идут к ним в руки. Деньги находят то, что их привлекает; а больше всего их привлекает ваша готовность ими обладать. Если вы не готовы иметь деньги, то у вас их и не будет. Я постоянно встречаю людей, которые говорят: «Я хочу тратить деньги». У них нет представления от том, что деньги можно иметь.

Некоторые люди все время тратят деньги. Они продолжают тратить и тратить, а что потом? У них нет денег! Они все потратили. Когда вам нравится тратить деньги больше, чем их иметь - денег у вас не будет. Если вы непрерывно тратите деньги, скорее всего вы их на самом деле ненавидите. Те, кто по-настоящему любят деньги, готовы и владеть ими и тратить их. Многие из нас выросли в век сиюминутных удовольствий, мы зависим от моментального удовлетворения своих желаний. Когда мы чего-то хотим, то мы ожидаем, что немедленно это получим. В этом само по себе нет ничего плохого, но это делает сложным обладание деньгами.

Некоторые жалуются, что вынуждены копить деньги. Они говорят нечто вроде: «Такое ощущение, что я надрываюсь как раб, чтобы накопить» или «Копить – это невесело». Когда я слышу такие высказывания, то всегда спрашиваю: «А когда вам приходится пахать, чтобы заработать деньги и оплатить все то, что вы накупили в прошлом месяце? Разве это не рабство?» Конечно рабство. Именно для этого придуманы кредитные карточки. Чтобы вы могли купить, что вы хотите, когда хотите и платить за это после. Вы понимаете, что вы платите за свой образ жизни постфактум? Дело в том, что у вас сначала должно быть денег больше, чем вы можете потратить, прежде чем вы станете тратить, сколько захотите. Большинство из нас еще к этому не пришло, но есть способ этого достичь. Первое, с чего вам следует начать, это начать платить десятину в Церковь Имени Себя.

Десятина В Церковь Имени Себя

Если вы хотите изменить свое финансовое положение, вы должны быть серьезно настроены иметь деньги. Вам необходимо сделать важный шаг, а именно, - отложить такую сумму, чтобы вам хватило средств на жизнь без дополнительного дохода в течение шести месяцев. Это одна из ваших первоначальных целей. Вы должны суметь покрыть свои шестимесячные расходы, не работая. Откладывайте деньги на счет в банке, под свой матрац или куда вам заблагорассудится, но организуйте свою жизнь так, чтобы у вас появилась эта сумма. Как только она у вас будет, вы прекратите переживать о квартплате и счетах за коммунальные услуги, о своих текущих расходах, и начнете больше генерировать в своей жизни. Когда у вас такой суммы нет, вы склонны концентрироваться на «У меня нет достаточно денег».

Как отложить сумму, которая покроет ваши расходы на протяжении шести месяцев? С помощью отчисления десятины в Церковь Имени Себя. Откладывайте на сберегательный счет десять процентов с каждого доллара, который вы получаете. Некоторые люди проповедуют, что нужно заплатить десять процентов вашей церкви, отложить десять процентов на одно, десять процентов на другое, а только потом десять процентов себе. Нет. Вначале вы откладываете для себя. Перечисление десятины в Церковь Имени Себя это уважение себя. Вы благодарите себя за то, что вы создаете и генерируете. А уже потом вы оплачиваете счета. Если вы будете так поступать в течение шести месяцев, вся ваша финансовая ситуация начнет меняться. Десять процентов будут расти, пока не превратятся в такую большую сумму, что вы прекратите думать о деньгах, вы просто продолжите их генерировать. Те люди, у которых денег нет, уделяют колоссальное внимание их отсутствию. Они обычно говорят: «Нужно обязательно достать деньги»; но как только у вас появляются деньги, вы больше о них не думаете.

Существует определенная сумма, которая у вас наберется при откладывании десяти процентов, вы можете точно не знать, какова она, однако, как только вы ее накопите, весь ваш стресс и концентрация на финансах исчезнут. Для Дэйна на первых порах этот предел составлял 50 000 долларов. Как только он накопил 50 000 долларов, откладывая по десять процентов от своего дохода, он вдруг почувствовал, что расслабился по-поводу денег. Даже не отдавая себе сознательного отчета, он решил: «Как только у меня появится 50 000 долларов, со мной все будет в порядке». У каждого из нас есть такой предел. Отложенная десятина в Церковь Имени Себя дает вам осознание того, что значит обладать деньгами. Когда вы набираете эту сумму, какой бы она для вас не была, ваш стресс, связанный с деньгами, проходит, и вы с большой легкостью генерируете еще большие суммы. Смысл в том, чтобы найти новый способ взаимодействия с деньгами и со своей жизнью с помощью энергии, что создает вам абсолютно новые возможности.

Одна женщина как-то мне сказала: «Иногда из-за того, что мне приходится концентрироваться на деньгах, я становлюсь злой. Разве я не могу просто как-то обойти всю эту ситуацию с деньгами и просто получать то, что мне нужно?»

Я задал ей вопрос: «А вы можете получать воздух, не дыша?»

Она сказала: «Нет».

Тогда я ответил: «То же самое происходит и с деньгами. Деньги – как воздух: приходят и уходят. Когда вы вдыхаете воздух, часть его остается в вашей крови. Но когда приходят деньги, вы избавляетесь от них полностью. Вы никогда не оставляете их частицу себе. Вот в чем ошибка». Вы можете уменьшить внимание, уделяемое деньгам, если станете откладывать свои десять процентов. Те, у кого деньги есть, о них не размышляют, но и не забывают глубоко вдыхать энергию денег, которыми они владеют.

Откладывайте десять процентов от своего общего дохода, а не от чистого дохода. Если вы получили 100 долларов, отложите 10, невзирая ни на что. Этот момент важен, потому что вы всегда можете хитрить с «грязным» и «чистым» доходом, чтобы только не отложить полных десять процентов. Это называется чудесами бухгалтерии. Не увлекайтесь такими чудесами. Откладывайте десять процентов от каждого доллара, который попадает вам в руки. Деньги, выделенные на Церковь Имени Себя, не должны быть инвестированы в акции или в нечто нестабильное. Они должны находиться в наличных активах: в долларах, в золоте или серебре – чтобы это можно было сразу продать. Желательно, чтобы ваши сбережения были ликвидными.

Люди спрашивают нас, можно ли тратить проценты, начисляемые на такие сбережения. Мой ответ: «Тратьте, если вам не хватает ума». Можете тратить проценты если хотите, но это демонстрирует вашу неготовность обладать деньгами. Это касается траты денег. Если вы более сконцентрированы на том, сколько денег вы можете потратить вместо того, сколько вы можете иметь, вы не будете генерировать крупные суммы денег. Весь вопрос в том, где вы хотите оказаться на заре своей жизни?

У меня также спрашивают, можно ли потратить свои десять процентов на то, что сильно хочется купить. Мой ответ: «Нет». Это неправильный ход мыслей. Вместо того чтобы потратить накопленное, вам надо задать себе вопрос: «А что еще я могу добавить к своей жизни?» Иначе, вы застрянете на старом убеждении: «Вот все, что у меня есть».

Один мужчина на нашем занятии как-то спросил: «Если я решаю, что мне необходимо откладывать по десять процентов в месяц, как вы рекомендуете, а потом я вижу что-то, что хочу купить и мне не хватает на это денег, как быть? Например, я хочу взять курс «Успех по Access». Что важнее? Эти десять процентов для меня всего лишь абстракция. Я не знаю, что они значат. А вот курс может принести мне пользу или хорошее настроение, так что же мне делать? Мне сложно понять смысл всего этого».

Я ему ответил: «Десять процентов означают, что вы, в первую очередь, отдаете дань самому себе. Не тратьте свои десять процентов на занятия «Access». Вместо этого спросите себя: «Что еще я могу добавить к своей жизни, чтобы создать больше денег и заплатить за этот класс «Access»?» Вам желательно добавить нечто большее в свою жизнь, чтобы генерировать больше денег, а не снимать их со счета, открытого в знак уважения самого себя. Вы не сможете получить больше, вычитая из того, что у вас уже есть.

Откладывайте Десять Процентов От Вложений В Ваш Бизнес

Если у вас есть свой бизнес, мы рекомендуем откладывать десять процентов от всего, что вкладывается в ваш бизнес. Даже если ваш бизнес в долгах, а вам приходится бороться с убытками и кажется, что совершенно невозможно отложить 10 процентов, делайте это в любом случае. Я испытал это на себе. Мой бизнес терпел убытки, а я стал откладывать десять процентов от каждого вложенного в бизнес доллара. Я занимал деньги, чтобы поддержать бизнес на плаву, но даже от одолженной суммы я брал десять процентов и клал их на сберегательный счет. Примерно через шесть месяцев все стало меняться.

Почему это сработало? Почувствуйте энергию «Мой бизнес несет убытки». А теперь прочувствуйте энергию «На моем сберегательном счету энная сумма денег». Какая из этих энергий более продуктивна?

Когда я только начал свой бизнес, если вдруг мне требовалось 10 000 долларов на его поддержку, то я обычно занимал 8 000, а остаток пытался заработать. Это не создавало правильную энергию. Потом я поумнел и занял 50 000 долларов. Это полностью поменяло ход моих дел. У меня был план выплаты кредита за пять лет и я предлагал кредиторам более высокий процент, чем они могли получить в другом месте, поэтому выплата займа у меня всегда стояла на первом месте в списке счетов, естественно после того, как я откладывал свои десять процентов!

Носите В Кармане Деньги

В дополнение к отчислению десятины в Церковь Имени Себя, вам нужно носить с собой много денег. Когда вы носите с собой деньги и не тратите их, это помогает вам почувствовать себя богатым. Вы чувствуете себя так, словно вы обладаете деньгами. И затем в вашей жизни может появляться все больше и больше денег, поскольку вы заявляете Вселенной, что живете в изобилии.

Определите, какую сумму денег вы, как богатый человек, будете всегда носить с собой. Вне зависимости от ее размера – будет ли это 500 долларов, тысяча или полторы – все время носите ее в кошельке. Мы не имеем здесь в виду золотую кредитную карточку. Это совсем другое. Пластик не является наличностью. Вы должны носить в кармане наличные деньги, потому что это связано с осознанием вашего богатства.

При мне всегда две золотые монеты, стоимостью в 843 доллара каждая, т.е. у меня с собой всегда 1 686 долларов в кармане. Я всегда знаю, что у меня есть деньги. Кто-то не любит носить деньги с собой, боясь быть ограбленным. Я им говорю: «Крадут у тех, кто невнимателен. Но если у вас с собой значительная сумма денег, вы будете более осознанны с происходящим вокруг и вас не ограбят». Если у вас с собой всегда наличность, вы не можете себе позволить быть неосознанным глупцом, и допустить возможность грабежа. Вы будете всегда начеку, помня о том, что у вас с собой нечто ценное.

Одна женщина мне как-то сказала: «Я не стала брать с собой в поездку настоящие драгоценности, т.к. останавливалась в неблагополучном районе, и не хотела быть обворованной». Я ответил: «Милочка, когда вы в плохом районе, то ради Бога носите настоящие украшения. Все будут думать, что на вас подделка, потому что ни один дурак не стал бы там надевать настоящие вещи». Конечно, когда вы это делаете, вы также должны быть готовы быть энергией убийцы, а не жертвы. Если вы не готовы иметь энергию убийцы, вы будете жертвой тех, кто мог бы убить. Вы хотите в своей жизни быть причиной или следствием?

Исключите Следующие Слова Из Своего Лексикона

Когда люди привыкли к обладанию деньгами, они живут исходя из совершенно иной жизненной философии. В их мире нет чувства недостатка. Энергия обладания является частью их жизни. Их взгляд таков: «Ну что же, так или иначе я это заполучу». Именно так они видят жизнь. Денег всегда много. Они полагают: «Жизнь именно так и устроена». И они продолжают генерировать деньги, потому что всегда ими обладали.

Люди, у которых нет денег, несут по жизни абсолютно другую энергию, которая основывается на ощущении нехватки, и они используют слова, которые выражают это ощущение недостачи. Если вы хотите стать богатым, рекомендуем вам исключить из своего лексикона шесть слов: «почему», «постараюсь», «нуждаюсь», «хочу», «но» и «никогда».

Мы часто слышим, как говорят: «Постараюсь сделать это. Попытаюсь сделать то». Приводит ли это к действию? Обычно нет. Скажите вслух: «Я постараюсь встать». Что-нибудь произошло или ваша попа по-прежнему устойчиво сидит на стуле? Наверняка все так же устойчиво сидит, потому что слово «стараться» означает пытаться и никогда не преуспеть.

Стараетесь ли вы разобраться со своей финансовой ситуацией и никогда не преуспеваете в этом? Все связанное с этим, согласны ли вы это разрушить и рассоздать и вернуть отправителю, приложив осознание этого? **«РАЙТ, РОНГ, ГУД, БЭД,**

ПОК, ПОД, ОЛ НАЙН, ШОРТС, БОЙЗ ЭНД БЕЙ-ОНДЗ»

«Хочу» - это еще одно слово, которое важно исключить из употребления. Люди с деньгами никогда не произносят это слово. У слова «хотеть» двадцать семь разных определений, и каждое из них означает «не хватать». Только в наши дни оно приобрело значение «желать» или «выражать пожелание», и даже в этом смысле оно означает ожидание чего-то в будущем. Знайте, что когда вы употребляете слово «хотеть», все, что вы произносите или о чем вы думаете, проявится в вашей жизни. Когда вы говорите «Я хочу больше клиентов», их количество обычно уменьшается. Когда вы заявляете «Я хочу денег», на самом деле вы говорите «Мне не хватает денег», именно это и проявляется в вашей жизни.

На наших семинарах о деньгах, мы просим участников произнести «Я не хочу денег» десять раз, а потом интересуемся об их внутренних ощущениях – чувствуют ли они себя легче или тяжелее. Легче подразумевает чувство расширения возможностей в жизни и ощущение увеличения пространства. Вы можете даже начать улыбаться или громко смеяться. Тяжелее подразумевает некое сжатие вашего пространства, будто на вас навалился груз и бремя. Вы ощущаете уменьшение возможностей. Истина всегда заставляет вас чувствовать себя легче. Ложь всегда заставит вас чувствовать себя тяжелее.

Попробуйте так: скажите вслух: «Я не хочу денег» десять раз.

Я не хочу денег.

Я не хочу денег.

Я не хочу денег.

Я не хочу денег.

Я не хочу денег.

Я не хочу денег.

Я не хочу денег.

Я не хочу денег.

Я не хочу денег.

Я не хочу денег.

Что с вами происходит? Вы чувствуете себя легче или тяжелее?

Один мужчина на наших занятиях выучил этот прием. На следующий день, прежде чем отправиться на репетицию оркестра, он повторил «Я не хочу денег» десять раз. Спустя пару часов во время репетиции к нему подошел музыкант из оркестра: «Послушай, я тебе уже давно должен сто долларов. Постоянно хочу вернуть тебе деньги и продолжаю забывать», и протянул ему чек на целых 600 долларов.

Иметь деньги не означает иметь некую сумму, чтобы ее потратить. Это не долг, который вы наращиваете в доказательство того, что у вас есть деньги. Иметь деньги – это готовность иметь деньги чтобы они просто были, без определенной цели. Вы поймете, когда стали готовы иметь деньги, поскольку обладание ими станет для вас более важным, чем их трата. Вы перестанете жить не по средствам. Вы будете получать удовольствие и жить с комфортом с тем, что у вас уже есть.

Слишком Много Денег?

Если вы планируете иметь много денег, в вашей жизни что-то должно измениться, чтобы под это подстроиться. Согласны? Вам придется сказать: «Я готов к тому, чтобы моя жизнь начала разворачиться по-другому».

Дэйн говорит, что раньше привык проводить свою жизнь в режиме «добычи денег». Денег ему всегда едва хватало. Потом в один прекрасный день случилась непонятная вещь. Денег стало больше, чем нужно для оплаты счетов. Для него эти ощущения были очень необычными. Что-то, по его мнению, должно было быть не так. Оказалось, что он перестал чувствовать стресс, связанный с нехваткой денег, который раньше сопровождал Дэйна по жизни. У него для этого оказалось слишком много денег. Он проживал всю свою жизнь веря, что существует некая обязательная не вызывающая у него стресс сумма денег, которая может или слегка повышаться или понижаться. Когда же он превысил ее намного, то сильно занервничал. Дэйн пояснил: «Я перестал понимать, что значит быть собой. Исчезла моя система координат, в которой я жил, когда денег мне было недостаточно».

К счастью, он достаточно долго занимался «Access» и знал, что ему следует задать вопрос. Он сказал себе: «Секундочку! Где же здесь вопрос»?» И спросил себя: «Какой вопрос я могу здесь задать, чтобы ясно увидеть ситуацию и выработать другую точку зрения на эту ситуацию?» Вопрос был таков: «Какие произошедшие со мной перемены я не осознал?» Как только он задал этот вопрос, то сразу понял, что именно об этом и просил, с тех пор как стал заниматься «Access».

Подобное происходит с людьми часто. Они генерируют большие деньги, а потом решают: «Это неправильно. Я не должен был получить эти деньги». Подруга рассказала нам о работе с клиентом, который страдает от переедания, и он однажды заявил: «Я ем для того, чтобы сузить свое пространство, потому что в состоянии расширенного пространства я чувствую дискомфорт». Точно так же может произойти и с деньгами. «Слишком много денег» заставляет вас ощутить себя в расширенном пространстве, что дискомфортно. Вы привыкли чувствовать себя ограниченным. Так часто происходит с теми, кто выигрывает лотерею. Девяносто восемь процентов везунчиков через пять лет возвращаются к тому же состоянию, в котором они были до выигрыша. Почему? Потому что под жизнью они понимают стресс, который у них ассоциируется с деньгами, и долги. Все остальное кажется им чужеродным, странным и неудобным. Они не готовы жить без ощущения «нехватки», которое для них является нормальным.

Сколько выверенных планов и РСЗРВ у вас имеется, чтобы задать параметры количеству денег, которое вы готовы иметь – или не иметь? Все с этим связанное, согласны ли вы это сломать и разрушить? **«РАЙТ, РОНГ, ГУД, БЭД, ПОК, ПОД, ОЛ НАЙН, ШОРТС, БОЙЗ ЭНД БЕЙОНДЗ»**

От Какой Энергии Вы Отказываетесь?

Некоторые люди отказываются пребывать в энергии богатства, стараясь своими суждениями контролировать все вокруг. Когда я впервые встретил Дэйна, он работал хиропрактиком в малюсеньком офисе. Он рассказывал: «Этот маленький офис был для меня самым большим кабинетом, который я мог себе позволить, и вдобавок самой большой вещью, которую я мог легко контролировать». Многие из нас делают нечто подобное. Мы выбираем самый большой формат жизни, который по нашему мнению мы сможем контролировать, то есть мы напрочь отвергаем бушующую, неуправляемую, изобильную энергию Вселенной. У Ричарда Брэнсона около 300 компаний, включая Virgin Records, Virgin Airlins, Virgin Mobile и все остальные компании со словом Virgin в названии. Вы считаете, что он все это держит под контролем? Нет. Он готов поддерживать связь со своими предприятиями и управлять ими, но он не пытается их контролировать. Если бы он хотел все контролировать, ему пришлось бы значительно уменьшить формат свой жизни и бизнеса.

Я работал с женщиной, у которой было много денег. Она искала новый дом. Однажды, мы ехали вместе в машине, и я поинтересовался: «Как насчет вот этого дома?»

> «О нет, слишком большой. Слишком большой дом, как и слишком много денег, невозможно контролировать», - ответила она.

«Вы понимаете, какое ограничение несет в себе такой взгляд? У Вас прибавилось денег за последние десять лет?» - спросил я.

«Нет», - ответила она. - «Их стало меньше».

За лучший период времени нашей экономики ее состояние уменьшилось в размере. Количество денег, которое у нее было, не выросло, потому дама отказывалась воплощать собой энергию большого дома или большого количества денег. Она верила, что отказываясь от слишком большого дома или слишком больших сумм денег, она могла сохранить контроль над тем, что у нее было. Но вместо этого, она ограничивала то, что могла получить. Разве у вас есть выбор, когда вы отказываетесь иметь чрезвычайно большой дом или чрезвычайно много денег? Нет. Единственный выбор, который вы делаете, - это не позволяете вашей жизни расширяться.

Люди часто останавливают денежную энергию, приходящую в их жизнь. Они говорят: «Окей, мне комфортно с той суммой, которую я зарабатываю». К чему это приводит? Это не пускает в их жизнь какие-то дополнительные суммы денег и останавливает энергию всех остальных вещей, которые они хотят создавать, или генерировать.

Если вы заинтересованы в том, чтобы убрать блоки, останавливающие денежные потоки энергии в вашей жизни, задайте вопрос: «От какой энергии я отказываюсь, что в результате не позволяет мне иметь деньги?» Этот вопрос выводит на поверхность энергию, от которой вы отказываетесь, а очищающее выражение уберет блок, что впустит деньги в вашу жизнь. Этот подход немного отличается от психологического и метафизического мышления, которые отталкиваются от взгляда: «Если только я смогу это увидеть, тогда я смогу это изменить». Нет. Вы уже видели многое, что никак не менялось. Просто задайте вопрос и произнесите очищающее утверждение. Дело не только в осознанности, а еще и в том, чтобы разрешить данной энергии появиться в вашей жизни. Вы задаете вопрос, чтобы вывести на поверхность энергию, а потом используете очищающее выражение, чтобы от нее избавиться.

> От какой энергии вы отказываетесь, что в результате не позволяет вам иметь деньги? Все связанное с этим, согласны ли вы разрушить и рассоздать? **«РАЙТ, РОНГ, ГУД, БЭД, ПОК, ПОД, ОЛ НАЙН, ШОРТС, БОЙЗ ЭНД БЕЙОНДЗ»**

Будьте Готовы Все Воспринимат] ь, Получать, Знать И Быть Всем

Как мы уже говорили, если вы на самое деле хотите жить в изобилии и все иметь, включая невероятные суммы денег, вы должны быть готовы все получать. Вы также должны быть готовы все воспринимать, знать и быть всем в этой жизни. Остальное является действиями на основе суждений, что лишает вас способности быть всем, все делать, все иметь и получать.

Когда я работал в сфере недвижимости, у меня были клиенты, которые мне говорили: «Я ищу дом, требующий ремонта». Я возил их и показывал им дома, требующие ремонта, такие дома вызывали у них отвращение. Тогда я показывал им дома получше, в которых только нужно было что-то слегка подкрасить и положить новый ковролин, но их зацикливало на старом уродливом ковре, и они кроме него в доме больше ничего не видели.

Я им говорил: «Посмотрите на само строение, как оно вам нравится? Посмотрите, какие прекрасные высокие потолки и просторные комнаты. Посмотрите на эти великолепные окна».

А они в ответ: «Какое еще строение?» Они ничего больше не видели.

Я им напоминал, что именно такой дом они просили показать. Но они не могла это понять. Все что они видели, это страшный ковер.

Точно так же мы поступаем с нашей жизнью. Наши суждения мешают нам воспринимать, знать, быть и получать бесконечные возможности, которые нам доступны. Мы не замечаем в нашей жизни того, что имеет большой потенциал, но требует изменений. Все, что мы можем видеть, это драный рыжий ковер. Когда вы отказываетесь что-то воспринимать, знать, быть и получать, сколько усилий вам приходится прикладывать, чтобы не впускать энергию в свою жизнь? Мегатонны! На поддержание существующих суждений требуется огромное количество энергии. Когда же вы отпускаете свои суждения, тогда вся энергия Вселенной, включая энергию денег, становится для вас доступной.

Что вы отказываетесь воспринимать, знать, быть или получать, что не позволяет вам быть, делать или иметь все то, что вы хотели бы иметь в своей жизни? Все связанное с этим, согласны ли вы это разрушить и рассоздать? **«РАЙТ, РОНГ, ГУД, БЭД, ПОК, ПОД, ОЛ НАЙН, ШОРТС, БОЙЗ ЭНД БЕЙОНДЗ»**

ГЛАВА 5
Второй элемент генерирования богатства
Генерирование Денег

Отличие Генерирования От Создания

Нас учат, что для создания чего угодно в этой реальности необходимы 4 элемента: материя, пространство, энергия и время. Когда мы действуем исходя из точки зрения этой реальности, чтобы создать что-то мы используем материю, пространство, энергию и время. Если вы строите дом, вы предполагаете, что требуется пространство для строительства, то есть земельный участок. Вы расчитываете затратить на стоительство определенное время. Вы предполагаете, что потребуется материя, то есть строительные материалы. И учитываете вложение определенного труда, то есть энергии. Таковы элементы цикла создания чего угодно.

Цикл созидания требует непрерывного вклада энергии. Если энергия поступать не будет, рано или поздно все развалится на части. Результат будет плачевен. Как только у вас появляется дом, вы вынуждены за ним постоянно ухаживать, то есть его приходится регулярно подкрашивать, чинить крышу, стричь газон, иначе все придет в негодность. И кому приходится вкладывать всю эту энергию? Вам.

Генерирование отличается от создания. Генерирование – это энергия, которая непрерывно воплощает вещи в жизнь. С вами когда-нибудь случалось так, что вы о чём-то подумали, и оно моментально возникло? Или вы начинали что-то искать, и оно сразу же появлялось? Или вы о ком-то подумали, и он в тот же миг позвонил? Все это отличается от создания. Это примеры генерирования.

Мы призываем вас посмотреть, как можно генерировать больше денег в вашей жизни, а не создавать или добывать их. Когда вы что-то создаёте, вам приходится работать. При этом нужно использовать материю, энергию, пространство и время. Когда же вы генерируете, вы делаете свой вклад в то, что уже существует. Вместо того чтобы бороться с тем, что уже существует, используйте это и выбирайте то, что будет генерировать для вас ещё больше. Этот мир уже создан таким, какой он есть. Зачем пытаться построить его заново? Генерировать гораздо проще, чем что-то пробивать силой. Каждый раз, когда вы функционируете в контекстуальной реальности, вы создаёте, а не генерируете.

Вопреки научной концепции, на которой основана наша действительность - согласно которой все создаётся с помощью материи, энергии, пространства и времени, - элементами генерирования являются энергия, пространство, сознание и первичная материя. Первичная материя – это первичный строительный источник создания Вселенной. Здесь не идет речь о молекулах; это то сознание, которым мы являемся. Если мы осознанно вовлечены и используем энергию, пространство и сознание для генерирования своей жизни, тогда она начинает расширяться и наполняться радостью. Мы не считаем, что для того, чтобы создать новое, необходимо разрушать старое.

Иными словами, энергия, пространство и сознание являются источником генерирования всего, что мы желаем иметь в нашей жизни. Нам не нужно создавать деньги, прикладывая усилия. Чтобы их генерировать, нам просто нужно действовать иначе. Считаете ли вы, что для денег нужно много трудиться? Это легко, однако, все вокруг твердят, что это должно быть тяжело; вы с ними соглашаетесь и стараетесь превратить владение деньгами для себя в нечто сложное. Мы с Дэйном хотели бы вам помочь в улучшении вашей способности генерировать, а не создавать. Вы уже знаете, как создавать вещи. Так как же заполучить энергию, пространство и сознание, чтобы генерировать свою жизнь? В этом разделе мы дадим вам некоторые инструменты, которые вы можете использовать, чтобы генерировать такую жизнь, которую вам хотелось бы иметь.

Генерирование Своей Жизни

Однажды в моей жизни наступил этап, когда у меня возникло ощущение, что я уже все испытал. «У меня было все: дом, машина и т.д. И я все это потерял. Я заполнил все мыслимые и немыслимые декларации о банкротстве. Я все - все это прошел», - думал я. Я понимал, что такое банкротство и знал, что это – выбор, который я сделал сам. Я размышлял: «Что же мне теперь делать?» Я не имел ни малейшего понятия о том, чего хотел. Я знал, чего хотела моя жена, я знал, чего хотели мои дети и даже мои друзья. Абстрагировавшись от всего этого, я задал себе вопрос: «А что хочу я?»

Проблема большинства из нас в том, что мы обладаем колоссальными телепатическими способностями и всегда чувствуем, чего желают окружающие и что им нужно. Трудности возникают, когда мы начинаем путать то, что необходимо и хочется им с тем, чего желаем мы. Наилучший способ это обойти – задавать вопросы.

В моем случае я задал себе такой вопрос: «Какой я хотел бы видеть свою жизнь?»

И сам себе ответил: «Ну, я хотел бы путешествовать, по крайней мере, в течение двух недель каждый месяц. Хотел бы делать минимум 100 000 долларов в год. Хотел бы работать с интересными людьми. Хотел бы заниматься тем, что действительно изменило бы мир. Хотел бы заниматься чем-то, что мне бы никогда не наскучило. Хотел бы постоянно расширять какую-то часть своей жизни и жизни других». Таков был суммарный итог всего, к чему я пришел, отвечая на вопрос, какую жизнь для себя я хотел создать.

Я почувствовал энергию, или ощущение того, каково было бы все это иметь в своей жизни. Собрал эту энергию перед собой и начал тянуть в нее энергию изо всех уголков Вселенной. Потом я позволил тонким струйкам этой энергии направиться ко всем людям, которые уже меня ищут, сами того не осознавая. Я проделывал это примерно раз в три дня, чтобы не терять ощущение этой энергии.

Я замечал любую возможность, которая появлялась в моей жизни и ощущалась как эта энергия, неважно, имело ли это смысл или нет. Однажды мне позвонили из Нью-Йорка с просьбой о специальном массаже. Я не имел ни малейшего понятия, о чем шла речь. И мне не очень-то хотелось за это браться, но энергия этой просьбы совпадала с энергией всех шести пунктов, которые я хотел в своей жизни. Поэтому без особого понимания происходящего я последовал энергии. Я вылетел в Нью-Йорк поработать с клиентом. И из этого опыта появился «Access». Ваша энергия, пространство и сознание того, чего вы хотите, приведет вас к тому, что вы ищете. Это непостижимо вашему уму, который функционирует только в рамках ограниченной концепции о материи, энергии, пространстве и времени.

Этот способ помогает вам узнать, что же выбрать, не раздумывая о том, каким должен быть следующий шаг. Он позволяет вам обойти ограниченность решений вашего ума и позволяет Вселенной указать на ваш следующий шаг. Вы генерируете свою жизнь совсем иначе. Я позволил тем шести пунктам, которые получил, задавая вопрос «Какой я хочу видеть свою жизнь?», определить то, какова должна быть моя жизнь.

Вам нужно определить, какую бы жизнь вы хотели иметь. Спросите себя: «Что я хочу делать со своей жизнью? Чем я хочу заниматься в своей жизни?» Если ответа на эти вопросы у вас нет, значит вы находетесь в непонятном неопределенном месте где Вселенная не может вам посодействовать. Вы не знаете, куда приложить энергию, чтобы генерировать свою жизнь. Вы не знаете, что выбрать. Все, что вы выбираете в своей жизни, должно основываться на энергии того, какой бы вы хотели иметь свою жизнь. Если вы не имеете представления о том, какой вы бы хотели видеть свою жизнь, и не знаете, что выбирать или в каком направлении двигаться, тогда вы выбираете то, чего хотят, считают необходимым и желают иметь все вокруг, вместо того, что желаете вы сами. Если что-то появляется в вашей жизни, то вы не знаете, совпадает ли это с энергией того, какой бы вы хотели иметь свою жизнь, потому что вы не имеете ни малейшего представления о том, какой энергий вы бы хотели наполнить свою жизнь.

Это не заказ: «Хочу красный BMW-кабриолет и недвижимость на французской Ривьере». Речь не об этом. Вы хотите обнаружить все элементы того, что хотели бы иметь в своей жизни и энергию, которую бы они собой представляли. Мы не говорим об описании своей жизни в смысле машины, дома или семьи, которые вы хотели бы иметь. Все это появляется как составляющие части жизни, но они не являются ее источниками. Мы знаем слишком много людей, которые сделали своих детей источником своей жизни, но потом дети покидают дом, чтобы строить свою собственную жизнь, и родители видятся с ними два раза в год, или дети перестают любить своих родителей и больше не хотят поддерживать с ними отношения. Разве в этом заключается жизнь? Нет. Это не связано с тем, что у вас имеется. Это не касается того, где вы живете, что делаете или сколько у вас детей. Это энергия, пространство и сознание, которыми вы готовы быть.

Заметьте, что мы ведем речь о той энергии, которой бы являлась ваша жизнь если бы вы того пожелали. Мы не упомянули деньги. Почему? Если вы готовы владеть и быть энергией того, какой бы вы хотели чтобы стала ваша жизнь, вы будете генерировать деньги, которые сделают это возможным.

Что требуется, чтобы вы были готовы жить той энергией, какой бы вы хотели, чтобы была ваша жизнь, так, чтобы она проявилась для вас самым полным образом? Все, что препятствует этому, а также все мысли, чувства, эмоции и «нет-секса», которыми вы пользуетесь, чтобы полностью отвергнуть и отказаться от своей жизни и энергии, которой бы вы хотели, чтобы стала ваша жизнь, согласны ли вы все это разрушить и рассоздать? **«РАЙТ, РОНГ, ГУД, БЭД, ПОК, ПОД, ОЛ НАЙН, ШОРТС, БОЙЗ ЭНД БЕЙОНДЗ»**

Повторяйте это по тридцать раз в день на протяжении тридцати дней и посмотрите, что произойдет с вашей жизнью.

Представьте себе на минуту, что бы произошло, если бы не было ограничений. Задайте себе вопрос: «Если бы не было ограничений, если бы я мог выбрать все, что угодно, то что бы я выбрал в качестве своей жизни? Если бы материя, энергия, пространство и время не были бы критериями моего выбора, какой бы я хотел сделать свою жизнь?» Если бы отсутствовали ограничения во времени, деньгах и возможностях, что бы вы выбрали? Если бы вы могли делать то, что вы по-настоящему любите делать, что бы вы выбрали? С какими людьми вы бы хотели работать? Какой начальный доход вы бы хотели иметь? Какое влияние вы бы хотели оказать на мир? Какую эмоциональную или энергетическую окраску вы бы хотели, чтобы несла ваша жизнь? Здесь нет правильных или неправильных ответов. Вы не обязаны выбирать то же, что и я. Что бы вы выбрали, если бы все это касалось вашей жизни? (А так оно и есть!) Что бы могло расширить ваше пространство?

Если бы не было ограничений во времени, деньгах или возможностях, если бы вы могли выбирать все, что угодно, что бы вы выбрали в качестве своей жизни?

_____

_____

_____

_____

Если бы не было ограничений, и вы могли бы делать то, что по-настоящему любите делать, что бы вы выбрали?

_____

_____

_____

_____

_____

С какими людьми вы бы хотели работать?

_____

_____

_____

_____

_____

Какой начальный доход вы бы хотели иметь?

_____

_____

_____

_____

Какое влияние вы бы хотели оказать на мир?

_____

_____

_____

_____

Какую эмоциональную или энергетическую окраску вы бы хотели, чтобы несла ваша жизнь?

_____

_____

_____

_____

Теперь, когда вы определили энергию, которой бы вы хотели, чтобы была ваша жизнь, сделайте следующих четыре шага:

1. **Соберите энергию или чувство того, каково бы было иметь все то, что бы вы хотели видеть в своей жизни.** Вы наверняка сейчас себе даже не представляете, как все это может произойти. Это всегда будет выглядеть иначе, чем вы думаете. Поэтому важно не стараться это продумывать. Просто почувствуйте энергию того, как бы ощущалось иметь все то, что вы бы хотели иметь в своей жизни.

2. **Как только вы прочувствовали энергию того, как бы ощущалось иметь все это в своей жизни, соберите эту энергию перед собой.** Возможно, будет легче представить ее в виде огромного энергетического

шара. Теперь тяните в него энергию со всех уголков Вселенной. Обратите внимание, как раскрывается ваше сердце, когда вы это делаете. Продолжайте тянуть энергию в этот шар. Вы притягиваете энергию со всех частей Вселенной; вы устанавливаете связь со всей Вселенной. Делайте это раз в три дня, чтобы продолжать осознавать, как ощущается энергия того, что вы желаете.

3. **Теперь позвольте тонким струйкам этой энергии направиться ко всем людям, которые вас ищут, и ко всем и вся, что поможет вам воплотить желаемое.** Вы не обязаны знать, кто эти люди или где они находятся. Просто позвольте энергии двигаться сквозь Вселенную, чтобы их найти.

4. **Обращайте внимание на любую приходящую в вашу жизнь возможность, которая ощущается так же, как эта энергия, и используйте ее, независимо имеет ли она для вас смысл или нет.** Энергия, ваше пространство и ваше осознание того, чего вы хотите, приведет вас к тому, что вы ищете.

Следуйте за энергией

Следование за энергией кардинально отличается от использования вашего ума, чтобы просчитать что-то линейным способом. Когда для принятия решений задействован ум, вы составляете себе списки преимуществ и недостатков, а потом спрашиваете себя: «В чем наибольшая выгода? Где я выиграю? Где проиграю?», и выбираете то, что по вашему мнению принесет наибольшую прибыль. Такой способ принятия решений не имеет ничего общего с рассматриванием энергии с позиции того, что она может генерировать в вашей жизни.

Какие у вас возникают ощущения во время использования линейного метода определения преимуществ и недостатков? Мы предполагаем, что скорее всего вы чувствуете тяжесть. Это потому, что при работе с линейным методом, вам приходится прибегать к суждениям и выбирать одну из двух возможностей. Вы можете поступить либо так, либо этак. Другого варианта нет. Нет других возможностей. Никто не рассказывал вам о том, что существует такой подход к принятию решений, который позволит вам идти по жизни словно в сапогах-скороходах, преодолевая по пять, десять или пятьдесят миль за один шаг.

Как следовать энергии? Представим, что у вас есть несколько возможностей: А, Б и В. Почувствуйте энергию от результата или то ощущение, к которому может привести каждая из альтернатив, а затем выбирайте то, что больше всего напоминает энергию из упражнения с энергетическим шаром. Какова энергия от результата каждой из альтернатив спустя шесть месяцев, один год, два года, пять лет? Какой вариант вызывает самое сильное ощущение возможностей и обладает наиболее экспансивной энергией? У какой из альтернатив самая легкая и радостная энергия? Которая из них соответствует энергии той жизни, которую вы хотели бы иметь? Это и выбирайте.

Такова жизнь на основе своей энергии. Вы можете осознавать существование этой энергии, вы можете с ней говорить, вы можете ею манипулировать и менять ее. Большинство людей не имеет ни малейшего представления о том, что такое их жизнь или какой бы они хотели ее видеть. Но когда вы начинаете смотреть на свою жизнь, как на энергию, у вас появляется большее осознание возможностей, способов бытия, направления, по которым вы можете пойти, и вещей, которые можете генерировать.

Делать то, во что вы не верите

Когда вы не верите в то, чем вы занимаетесь, в конце концов, вы себя погубите. Если вы не верите, что то, что вы делаете для вас хорошо, правильно или ценно, то в результате вы всегда будете терять деньги или добьетесь меньшего, чем могли бы. Много лет назад я продавал марихуану. Мне казалось, что это круто. Однажды, по прошествии определенного времени, я увидел, что я был в долгах на ту же сумму, которую я сделал, продавая марихуану. Я понял, что рассматривал торговлю марихуаной как способ легкой добычи денег, который позволял мне не работать, но на самом-то деле я не верил, что это хорошо. Я принял решение изменить свою жизнь, поскольку несмотря на весь секс, наркотики и рок-н-ролл счастливей она не стала. Многие люди, подобно мне в то время, занимаются чем-то, что сами не считают ни ценным ни правильным, надеясь на легкую добычу денег. Речь здесь не об этике. И не о том, чтобы судить что правильно, а что нет. Речь идет о том, чтобы вы понимали, что подходит именно вам.

Гордитесь собой

Очень часто люди не верят, что то, чем они занимаются, имеет какое-то влияние на мир. Если вы придерживаетесь такой точки зрения, то не сможете изменить свою финансовую ситуацию или свою жизнь. Вы тем самым отказываетесь гордиться всем, чем вы являетесь, чем занимаетесь и что имеете. И если у вас нет гордости в том, кто вы есть, тогда, чем бы вы ни занимались или чем бы вы ни владели, это не имеет никакой ценности.

Если вы занимаетесь живописью и не гордитесь своими работами, вы будете умалять их достоинства и прятать в шкаф. Вы не будете показывать свое творение людям. Но вы же не сможете достичь успеха, если никто и никогда не увидит ваших работ! Вы должны быть готовы дать возможность другим смотреть на то, что вы создали и позволить им иметь свою собственную точку зрения об этом. Вы должны ощущать гордость за то, что вы делаете. Если у вас ее нет – вы никогда не достигнете успеха. Вы станете занижать достоинства созданного вами и лишите его всякой ценности. Это не значит, что «Погибели предшествует гордость, и падению – надменность» (Притчи 16:18). Мы говорим о том, что без гордости вы не упадете с высоты, но также и ничего не достигнете.

Что вы любите делать?

У вас есть любимое занятие, за которое, по вашему мнению, вам никогда никто не станет платить? У вас должна быть какая-то способность или талант, которые для вас кажутся такими естественными, что вы себе даже не предполагаете, что кто-нибудь стал бы вам за это платить. Вы думаете: «Никто в жизни мне за это не заплатит! Мне это дается так просто, что наверняка все это тоже умеют». Вы игнорируете и отвергаете возможность, которая принесет вам наибольшее количество денег. Вас научили, что только то, что дается тяжелым трудом, имеет ценность, и вы обесцениваете то, что у вас получается легко и естественно.

Давным-давно, когда я занимался обивкой мягкой мебели, я обратил внимание на свою способность четко различать и запоминать цвета. Клиент мог показать мне свой восточный ковер и, указав на цвет в нем, сказать: «Хочу стул такого же оттенка». Спустя недели или месяцы, находясь в магазине тканей, я мог увидеть материал точно такого же цвета, который хотел мой клиент. Я тогда звонил и спрашивал, не нашел ли он уже стул и не хотел бы он, чтобы я купил ему ткань для обивки. Обычно мне отвечали: «Конечно! Будьте добры, купите эту ткань». Я покупал ткань и затем перепродавал ее клиенту за ту же самую цену, по которой купил. Какую свою способность я не ценил? Способность видеть то, чего не видели другие. У меня это получалось настолько легко, что я не мог даже представить, чтобы за это мне кто-то платил.

Задайте себе вопрос: «Чем я люблю заниматься, за что, как я полагаю, мне никто никогда не заплатит?» Это должно быть любимое занятие. Что вы любите делать больше всего? Если вы перестали этим заниматься много лет назад, то сейчас вам может быть сложно это представить.

Что вы любите делать?

_____

_____

_____

_____

Что у вас получается с легкостью?

_____

_____

_____

_____

Что вам дается настолько легко, что в вашем представлении даже не имеет ценности?

_____

_____

_____

_____

_____

Какой свой талант или способность вы не цените, потому что «это может любой»? (Именно это может принести вам наибольший доход!)

_____

_____

_____

_____

_____

Вот процесс, которое вы возможно захотите прогнать по тридцать раз в день в течение тридцати дней или 100 000 дней:

Какой генерирующей энергией, каким пространством и сознанием я могу быть, чтобы это позволило мне воспринимать, знать, быть и принимать тот безграничный вклад, которым я поистине являюсь? Как только вы начнете задавать себе этот вопрос, то станете замечать, что обладаете энергией, которую можете привносить во что-то совсем не так, как полагали раньше.

Славьте свою жизнь

Жизнелюбие – это готовность искать радость и удовольствие в каждом мгновении жизни. Когда вы выходите под дождь на улицу, что вы говорите: «Черт, опять дождь!» или «Ух ты, смотри, дождь идет!»? А что вы говорите в жару: «Проклятое пекло!» или «Какой чудесный жаркий день!»? Жизнелюбие – это получение удовольствия от всего. Это радость от того, что вы живы. Разве птицы прекращают петь в облачный день? Нет. Они поют несмотря ни на что. А плодовое дерево когда-нибудь говорит: «В этом году я не принесу фруктов, потому что сегодня у меня плохая прическа? Нет, оно дарит их с радостью из года в год.

Вы должны быть готовы увидеть, какой веселой и радостной может быть ваша жизнь. Задайте себе вопрос: «Что бы я мог добавить в свою жизнь, чтобы сделало ее совершенно радостной?» Это не связано с большим количеством свободного времени. Вам нужно не это. Это не экстремальные виды спорта. Мы говорим о том, что наполняет вашу жизнь радостью и весельем. Это - празднование жизни.

Одной нашей знакомой, Биргитте, которая любит окружать себя живыми недавно срезанными цветами, как-то сказали: «Вы так много тратите денег на цветы, не так ли?»

Биргитта, которая никогда об этом раньше не задумывалась, ответила: «Да, я люблю цветы».

Тогда ее спросили: «А почему вы не купите пластмассовые цветы? Они никогда не вянут и не требуют ухода. Вы могли бы сэкономить кучу денег.»

Биргитта это видела совсем в другом свете: «Мне нравится окружать себя красивыми свежими цветами. Мне нравится их вид и запах». Биргитта живет свою жизнь, делая то, что считает верным для себя. Она празднует свою жизнь. Вы тоже можете так поступать. Вы тоже можете превратить свою жизнь в праздник.

Когда я развелся, мне достался один из четырех наборов фарфоровой посуды и один из четырех наборов столовых приборов из чистого серебра. Мне досталось две кружки, пара фамильных ценностей и вся оставшаяся мебель, хранившаяся в подвале. И в придачу 100000 долларов долга. Это все, что я получил в финале своего брака. А моя бывшая жена получила антиквариат, стоимостью в полмиллиона долларов, еще полмиллиона в драгоценностях, никаких долгов и еще кучу моих денег.

Я переехал из нашего дома в квартиру. Там я убрал фарфор в буфет, с мыслью: «Достану на праздник». Так как у меня не было столовых приборов попроще, я положил серебро в ящик стола и начал им пользоваться. Потом я как-то посмотрел на свой фарфор в буфете и подумал: «Постой-ка! Я уже настолько стар, что можно отмечать каждое утро, когда я просыпаюсь». И решил пользоваться фарфоровой посудой каждый день.

Празднование - это не бездумная трата денег. Празднование заключается в вашем отношении к жизни. Сама жизнь должна быть празднованием. Каждый ее день должен быть радостным. Сегодня я пользуюсь серебряными приборами, хорошим фарфором, хрустальными бокалами, всем самым лучшим. По-моему, тот факт, что я сегодня жив - уже повод для праздника.

Многие из нас постоянно откладывают празднование жизни. Мы считаем, что покупать цветы и пить шампанское, есть из хорошей посуды следует только по какому-то поводу. Много лет назад с нами жила одна наша приятельница, Мэри, ей было 95 лет. Близилось Рождество и я спросил у Мэри, что бы она хотела получить в подарок.

Она ответила: «Я бы хотела мягкие простыни из сатина. Вот что я хотела бы!».

Пришло Рождество, Мэри открыла подарок. Она была в восторге: «Прелесть, новые простыни! Какая красота - пойду, отложу их для особого случая».

«Мэри, повод появляется каждый раз, когда вы просыпаетесь утром. Это стоит праздновать. Что-то я не замечал здесь крадущихся в Вашу постель мужчин. Нечего беречь те простыни! Пользуйтесь и наслаждайтесь!» - возразил я.

Какое количество вашей жизни и сколько выверенных планов и РСРВ у вас есть, что не дают вам славить вашу жизнь? Все связанное с этим, согласны ли вы это разрушить и рассоздать? **«РАЙТ, РОНГ, ГУД, БЭД, ПОК, ПОД, ОЛ НАЙН, ШОРТС, БОЙЗ ЭНД БЕЙОНДЗ»**

Как получить то, что вы желаете

Одна дама рассказала нам, что хотела бы переехать в Париж, где находился дочерний филиал компании, в которой она работала. Она поинтересовалась у меня, как это осуществить.

Я сказал, что нужно притянуть энергию.

«Это как?» - спросила она.

Я ей ответил: «Точно так же, как вы это делаете, когда флиртуете. Просто тяните энергию в свою сторону». У многих с этой идеей возникают затруднения. Почему нам кажется, что мы не знаем, как притягивать энергию? У вас есть собака? Она вас когда-нибудь заставляет подойти к двери и вывести ее на улицу? Она притягивает вашу энергию. Вы чувствуете, когда ваша кошка ждет за дверью, чтобы вы ее впустили? Это тоже притягивание энергии. Вы можете заставить выступающего на презентации человека обратить на вас внимание, когда у вас есть вопрос, не поднимая руки? В этот момент вы тяните энергию.

Она согласилась: «Хорошо, мне начать это делать сейчас или нужно сначала попасть в Париж?»

Я посоветовал ей начинать прямо сейчас притягивать энергию от всех сотрудников в компании, которые могли бы сделать ее мечту реальностью, и делать это до тех пор, пока ее будет невозможно не заметить.

Тянуть энергию – это абсолютно естественно, особенно если вы чего-то хотите. Было ли с вами так, что вам кто-то сильно нравился, и вы просто расслаблялись и говорили: «Ну все, теперь ты мой/моя?» Особенно хорошо это получается у детей. Если вы забыли, как это делается, и хотите поучиться, пойдите на игровую площадку и понаблюдайте за детьми. Выберите ребенка, который больше всего напоминает вам себя в детстве, и посмотрите, как он тянет энергию. Когда вы тянете энергию, то буквально можете создавать пузырьки шампанского во Вселенной других людей. Попросите свое тело притягивать энергию даже тогда, когда вы заняты чем-то еще. Вот так можно получить то, что вы желаете.

Генерирование Денег В Вашей Жизни

Для того чтобы генерировать такие деньги, которые вы бы хотели иметь в своей жизни, вы должны получать удовольствие от того, что делаете. Мы часто сталкиваемся с людьми, которые занимаются чем-то, потому что они решили, что это может принести им деньги, либо решили для себя, что «Это сработает». И где в этом вопрос? Вопроса нет.

Подход должен быть такой: «Хорошо, мне нравится этим заниматься. А смогу ли я на этом заработать? Хорошо. Сколько я могу на этом заработать? Есть ли ограничения в суммах, которые я могу получать, выполняя эту работу, применяя эту технику или следуя этой системе?» Если ограничения существуют и у вас не возникает с этим проблем, спросите себя, какую максимальную сумму вы можете получить, делая то, что вы делаете? Если для вас эта сумма достаточна, тогда проблем нет. Если она недостаточна, вам придется задать себе вопрос: «Чем еще я могу быть, что могу делать, иметь, создать или генерировать, что будет мне в радость и сделает больше денег?» Будет в мне в радость и сделает мне больше денег – в этом весь смысл.

Иногда мы видим людей, которые начинают чем-то заниматься, делать деньги, а потом говорят себе: «Окей, теперь я делаю деньги». В чем здесь заключается вопрос? Это не вопрос, а ответ – я делаю деньги. Нечасто мы встречаем людей, которые задают себе вопрос, который следовало бы задать: «Будет ли это приносить мне столько денег, сколько я хочу иметь?» Если ваше дело не будет приносить вам столько денег, сколько вы хотели бы иметь, тогда вам нужно выяснить, что можно добавить в вашу жизнь, что выведет вас на тот уровень, который вы бы хотели иметь. Вам нужно спросить себя: «Что еще я могу добавить в свою жизнь?»

В нынешней экономической ситуации многие задаются вопросом, на чем они могут сэкономить, чтобы уменьшить плату по счетам? Это довольно распространенный подход в трудные экономические времена, но он ведет вас в деструктивном направлении. Его суть в том, чтобы сузить вашу жизнь. Более позитивной точкой зрения является «Что еще я могу добавить в свою жизнь?» Этот вопрос будет двигать вещи в направлении генерирования. Такой подход не заставляет вас отказываться от того, что вам нравится, он заключается в том, чтобы вы наслаждались тем, что вы любите и что принесет вам больше денег. Существует множество способов генерирования денег, которые приносят удовольствие. У вас должно быть желание. Вы должны быть готовы знать, что это возможно, и затем их отыскать. Большинство имеет точку зрения, что делать деньги очень трудно или мучительно, или они просто не знают, как это делать. Используйте нижеследующие идеи, вопросы и инструменты, чтобы помочь себе генерировать больше денег.

Достаточную ли цену вы запрашиваете?

На одном из наших семинаров участница рассказала, что в юности она присматривала за детьми и брала за это 50 центов в час. В один прекрасный день она заявила своей маме: «Я думаю, что я стою 75 центов в час». Мать запротестовала: «Ой, нет! Не повышай цену! Поднимешь цену – тебя больше никто не будет нанимать».

Как вам нравится такой отвратительный родительский совет по поводу зарабатывания денег? Многие в это верят. Они занижают стоимость своих предлагаемых услуг или продуктов, потому что думают, что никто не станет к ним обращаться, если они поднимут свои цены. Они не ценят свою работу, свой продукт или предлагаемые ими услуги. И что вы получаете в ответ на понижение цен? Скверных клиентов. А что вы получаете, когда поднимаете цены? В худшем случае, у вас будет больше свободного времени. В лучшем случае, у вас появится больше свободного времени и более приятные клиенты!

Нам снова и снова рассказывают о случаях, когда за повышением цен последовало больше заказов. Клиентка одной женщины после увеличения расценок заявила: «Я не могу себе это позволить», та женщина ответила: «Ничего страшного. Я могу вам порекомендовать другого специалиста». Тогда клиентка вдруг решила, что все-таки новые цены ей по карману.

Иногда люди пользуются гибкой шкалой для установления цен. Они берут с клиента столько, сколько, по их мнению, клиент может себе позволить заплатить. Однажды я тоже так поступил. Женщина, с которой я работал, была пенсионеркой, и по ее словам у нее не было денег. Она попросила сделать ей скидку по причине ее пенсионного возраста. Я дал ей скидку. По окончании сеанса я решил проводить ее до машины. Она стала отказываться: «Нет - нет, не стоит беспокоиться». В этом всем возникла настолько непонятная энергия, что я вышел через заднюю дверь, обошел вокруг дома и увидел, как она села в свой Ролс Ройс и уехала. Теперь, если клиенты не хотят платить по моим расценкам, я часто отправляю их к тому, кто готов их принять за те деньги, которые они готовы заплатить. Я ценю себя, и мое время стоит тех денег, которые я беру с людей.

Дэйн говорит, что понял следующее: если люди не готовы платить по предлагаемым вами расценкам, значит, они не будут готовы получить тот дар, которым вы с ними хотите поделиться, а это именно то, для чего вы в основном и делаете свою работу. Вы хотите дать им подарок, который они смогут получить. Дело не в деньгах. Он рассказал, что когда начинал, то брал энную сумму за сеанс. Со временем он стал повышать расценки и обнаружил, что чем больше он брал, тем больше пользы люди извлекали из проводимых им сеансов. Если он запрашивал в десять раз больше по сравнению с тем, что просил в самом начале, клиенты извлекали в десять раз больше пользы.

Тот дар, который вы предлагаете людям, дар вас самих, становится более динамичным, если вы берете за него больше денег. На всем свете нет еще одного такого человека, который бы делал то же, что и вы. У вас нет конкуренции. В целом мире нет человека, подобного вам. Может кто-нибудь и занимается чем-то сходным, но такого человека как вы - нет. Если кто-то хочет вас, значит, они хотят именно вас, что бы вы ни брали за свои услуги, это только делает вас для них еще более ценным. Если вы берете много денег, люди знают, что вы должны быть мастером того, что делаете. Вам остается лишь предложить им хороший продукт.

Если вы повышаете свои расценки, вы можете потерять одного или двух клиентов, зато взамен приобретете десять. Если у вас свой собственный бизнес или вы предоставляете какой-то уникальный продукт или услугу, вы должны брать такую сумму, которая будет приносить вам удовольствие от того, что вы делаете. Не работайте за копейки. Вне зависимости от того, чем вы занимаетесь. Никогда не устанавливайте среднюю рыночную цену. Дело не в количестве покупателей, которых вы сумеете привлечь, а в том, какой вы создаете для них продукт, и какое удовольствие и радость вы получите от тех денег, которые они вам заплатят. Вы должны знать, что хороши в том, что вы делаете. Единственный способ дать людям понять, что вы - хороший специалист – это высокие расценки!

Сколько у вас имеется выверенных планов и РСРВ, которые мешают вам устанавливать те цены, которых вы достойны, и брать с людей достаточно денег для того, чтобы они сами действительно желали вам платить и швырять деньги к вашим ногам? Все связанное с этим, согласны ли вы это разрушить и рассоздать? **«РАЙТ, РОНГ, ГУД, БЭД, ПОК, ПОД, ОЛ НАЙН, ШОРТС, БОЙЗ ЭНД БЕЙОНДЗ»**

Ищите возможности

Большие суммы денег создаются не потом и кровью, а вдохновением. Мы сейчас переживаем времена экономического спада, и это означает, что именно сейчас стоит искать возможности, а не проблемы. Вы должны быть готовы воспользоваться глупостью тех, кто губит свои финансы и тем самым создают возможности вам – а такие люди найдутся всегда.

Иногда людям нужно освободиться от вещей, которые они больше не могут себе позволить– это та возможность, которой вы можете воспользоваться. Им может быть необходимо избавиться от автомобиля, который либо стоит им слишком больших денег либо они хотят приобрести что-то другое. У нас есть знакомые, которые смогли вдруг купить себе прекрасные машины за совсем небольшие деньги. Как это произошло? Просто бывшим владельцам нужно было от них избавиться. Им необходимо было вычеркнуть эти автомобили из своего списка финансовых обязательств, чтобы они смогли купить то, что стало бы для них выгодным вложением.

Вы полагаете, что вы должны быть хорошим, добрым и правильным, заботиться обо всех. Вы готовы расстаться с халатом больничной нянечки? Оставьте свою необходимость стараться относиться ко всем одинаково, честно и справедливо. Поймите, что шанс порой приходит с людьми, готовыми сами перерезать себе горло. Возможно, они продают что-то ценное по заниженной для этой вещи цене. Кто-то может сказать, что вы пользуетесь ситуацией, но вы им платите ту сумму, которую они просят, и это может пойти им на пользу. Если им нужно 100 000 долларов в обмен на что-то, что при обычных обстоятельствах можно было бы продать за 500 000 долларов, то когда вы предоставляете им эти 100 000 долларов, вы делаете для них благо. Возможно вещь, которую вы покупаете, стоит 500 000 долларов, но они никогда не сумеют ее продать за эту сумму в нынешней экономической ситуации. Когда вы платите им 100 000 долларов, вы, возможно, получаете скидку в 400 000 долларов с полной стоимости товара, но возможно также и помогаете им. Если вы готовы смотреть на это только с позиции «Я их корыстно использую», то упустите отличный шанс, а они потеряют свои желаемые 100 000 долларов.

Вы должны дать человеку, с которым вы заключаете сделку, сделать свой выбор. Вы не можете выбирать за них. Однажды на маленькой частной распродаже я увидел браслет за 15 долларов. Я взял его в руки и обнаружил пометку «золото 585 пробы». Я подумал, здесь что-то не так, он должен стоить, по крайней мере, 115 долларов. Я спросил у женщины, сколько стоит браслет.

Она ответила: «15 долларов. И это золото 585 пробы».

На что я сказал: «Окей, вот вам ваши 15 долларов».

Она воскликнула: «Я так рада, что его купил человек, который может его оценить».

Я отнес браслет эсперту на определение стоимости и его оценили в 900 долларов. Самое странное, что передо мной мероприятие посетили пять торговцев антиквариатом и они его не купили. Они предположили, что за такую цену браслет должен быть подделкой.

Женщине был приятен тот факт, что она сделала мне подарок. Она не искала финансовой выгоды; если бы она хотела денег, она отнесла бы браслет в ломбард или в другое место, где бы ей оплатили стоимость золота. Ее это не интересовало – ей просто хотелось, чтобы кто-то с любовью отнесся к тому, от чего она хотела избавиться. Вы, конечно же, можете считать, что воспользоваться такой ситуацией неправильно. Но разве это так на самом деле?

С моим другом произошла история из этой же серии. В одном супермаркете в Японии пару лет назад он увидел бутылку хорошего вина марки «Марго» - французского вина, бутылка которого стоит несколько сотен долларов. В супермаркете оно стоило 8 долларов. Он подошел к кассе и спросил: «Вы уверены, что это правильная цена? Тут написано 8 долларов».

Менеджер ответил: «Ой, это 1996 год. Оно старое. Мы отдадим его вам даже за 4 доллара».

Внезапно, благодаря его осведомленности, ему предоставилась новая возможность ведь он знал о вине марки «Марго» и знал о его стоимости, а менеджер рассуждал так: «Это старая бутылка вина. Кому она вообще может понадобиться? Оно даже не из риса. Только дураки пьют вина, сделанные из винограда. Они никогда не пробовали нормальных напитков».

Мы полагаем, будто должны учить остальных тому, что знаем сами. Избавьтесь от идеи, что вам нужно кого-то воспитывать! Это самая большая ошибка, которую большинство из нас делает. Если вас никто не спрашивает, значит, они не хотят знать. Вы серьезно хотите кого-то оскорбить? Попытайтесь просветить их по-поводу чего-то, когда они уже решили, что абсолютны правы по этому вопросу.

Совсем иначе обстоит дело, когда кто-то совершил ошибку, выдавая сдачу при оплате. Одно дело, когда кто-то доволен тем, что получает от вас в обмен на их предложение, но когда вы знаете, что человек совершает ошибку и ему придется расплачиваться за нее из собственного кармана, это совсем другое дело.

Со мной произошел случай, когда я заплатил 20-ти долларовой купюрой, а кассир дал мне сдачу с 50 долларов. Я сказал: «Простите, но по-моему вы неправильно посчитали сдачу».

Он ответил: «Нет, вы мне дали пятьдесят».

Я настаивал: «Нет же, я заплатил двадцать».

Он мне снова: «Нет, вы мне дали пятьдесят».

Потом он заглянул в кассу и обнаружил, что положил двадцатидолларовую банкноту в отделение для пятидесяти долларов и сказал «Ой, спасибо, спасибо, спасибо».

Я не пытался выступать в роли его защитника, а просто вел себя честно в сложившейся ситуации. Существует разница между получением денег обманным путем и умением увидеть возможность или хорошую сделку, когда она у вас перед носом.

Кажется, что люди хотят четкие и эффективные правила, которые бы объясняли, что и когда им нужно делать вместо того, чтобы следовать энергии и практиковать осознанность. Они спрашивают: «Какого правила надо придерживаться, чтобы получить больше денег?» Наш ответ - осознанности. Почувствуете ли вы себя легче, забрав 100 долларов у кассира, который зарабатывает 8 долларов в час и которому придется их выплачивать обратно? Если вы будете следовать своей осознанности, то будете знать, что делать. Спросите себя, что в вашей жизни будет вести к генерированию. Осознанность очень важна. При такой экономике, как сейчас, осознанность открывает двери к возможностям. Когда вы осознаете ситуацию, то будете знать, в каком направлении нужно сделать шаги; вы будете видеть, что можно предпринять; вы увидите, какие возможности вам доступны.

Верное ли сейчас время?

Прежде, чем вы ухватитесь за осознанные вами возможности, спросите: «Настало ли время что-то начать?» или «Настало ли время это начинать?» или «Настало ли время запустить это в действие?» Решение о том, что «время настало», вовсе не означает, что оно действительно сейчас подходящее, но если вы зададите вопрос, то сможете определить, правильное ли это время или нет. У вас будет появляться множество идей гораздо раньше, чем для них наступит подходящее время. Если вы обратитесь к Вселенной, к своему проекту, к себе самому и своей безграничной осознанности с вопросом о том, правильное ли сейчас время начать этот проект, то не станете затевать дело, для которого еще нет фундамента. Иногда какие-то вещи во Вселенной должны поменяться местами, прежде чем вы сможете запустить проект, воплотить идею или дать свободу изобретению. Вам нужно выяснить, насколько сейчас подходящее время начать. Мы часто слышим истории о людях, которые опережали свое время. У них были замечательные идеи, но мир не был к ним готов. Люди о них говорят, что они шли впереди своего времени или что их идеи опережали время. Существует множество таких вещей, которые люди пытались реализовать до того, как пришло их время, и такие проекты вынуждены были томиться веками до тех пор, пока не наступал нужный момент и лишь тогда они завоевывали популярность и начинали пользоваться успехом. Вы наверняка не хотите, чтобы подобное произошло с вами. Вы не хотите вкладывать свою энергию в то, что не готово воплотиться в жизнь на протяжении еще двадцати лет. Поэтому задайте вопрос: «Настало ли время начать?» Если в ответ вы получите «нет», тогда скажите: «Ладно, дай мне знать, когда время наступит». Запишите свою мысль на листок бумаги и уберите ее в стол или в записную книжку с пометкой «заглянуть через 1-2 месяца». Задавайте вопрос самому проекту, т.к. все обладает сознанием: «Когда мне снова стоит о тебе вспомнить?» Предоставьте возможность всему в вашей жизни помогать вам генерировать деньги.

Двадцать лет назад существовали определенные финансовые законы. Вы знали, что если инвестировать в «Х», то скорее всего прибыль будет такая. Если инвестировать в «Y», то прибыль будет иная. В настоящее время все постоянно меняется. Происходят громадные перемены, а с переменами приходят возможности. С переменами также приходит спад. Сейчас, исходя из нашей точки зрения, мы движемся в сторону спада, и это означает, что на протяжении последующих пятнадцати лет не будет наблюдаться заметного роста, зато появится океан возможностей.

Ваши точки зрения на вещи могут предоставить вам абсолютно иные вероятности; принятый вами выбор может сыграть огромную разницу в том, что для вас проявится в жизни. В 1990 году, накануне вторжения Ирака в Кувейт, Дэйн учился в колледже и подрабатывал, торгуя поддержанными Шевроле. Потом началась первая война в Персидском заливе и на автомобильном рынке произошел полный крах. У всех в автосалоне значительно упали продажи, за исключением одного продавца. Его прибыль увеличилась в два раза, в то время как у остальных она снизилась на пятьдесят процентов. И самое интересное, что он не был первоклассным торговцем. Это был парень, который одевался как простой продавец поддержанных автомобилей, у него неприятно пахло изо рта и в усах всегда виднелись остатки еды.

> Спустя месяц после наблюдения за ростом продаж этого продавца Дэйн обратился к нему: «Как это у вас получается? Почему ваши продажи взлетели, а у остальных упали вдвое?»

> «Людям по-прежнему нужны машины», - был его ответ.

Дэйн понял, что у всех остальных сформировалось убеждение, что наступил экономический кризис, застой, автомобильный рынок терпит крах. В то время как этот торговец был готов принять другую точку зрения, что и привело к другим результатам. Его точка зрения создала ему другую реальность.

Вопрос заключается в том, какую точку зрения в отношении вашего будущего выберете вы? Будете придерживаться того, что все рушится, обеспечите себе депрессию, как у всех остальных и будете также не иметь денег? Или же вы предпочтете точку зрения, что вы найдете возможность, чтобы генерировать деньги? Вы можете себя спросить: «Как бы мне перебиться и протянуть до лучших времен?» или «Как мне преуспеть, в независимости от того, что происходит вокруг?» Это ваш выбор. Вы можете выбрать взглянуть на вещи под другим углом, чтобы лучше понять, как генерировать ту жизнь, которую вы хотели бы иметь.

Во времена Великой Депрессии были люди, которые делали много денег. Например, огромные доходы были получены в индустрии развлечений. Как это произошло? Люди по-прежнему хотели развлекаться. Они готовы были тратить свои заработанные тяжелым трудом деньги на развлечения. Многие предприятия были созданы во времена Великой Депрессии и многие из них преуспели и расширились. Именно в эти времена стали популярными 5-ти и 10-ти центовые магазины. Люди просто влюбились в них, поскольку могли приобрести что-то за пять или за десять центов, ведь это - все, что они могли потратить.

Речь не о том, как пережить нищету в тяжелые времена, а о том, как преуспеть. Это означает, что настало время искать возможности, а не проблемы.

Являетесь ли вы одним из тех, кто пережил Великую Депрессию и сейчас живет, воплотившись в новом теле, но до сих пор зациклен на том, как пережить застой? Существуете ли вы до сих пор в режиме выживания и глубочайшей финансовой депрессии? Согласны ли вы разрушить и рассоздать все это? **«РАЙТ, РОНГ, ГУД, БЭД, ПОК, ПОД, ОЛ НАЙН, ШОРТС, БОЙЗ ЭНД БЕЙОНДЗ».**

Задавайте Вопросы

Как мы уже упоминали, во Вселенной все обладает сознанием и все стремится вас поддержать. Когда вы выберете для себя осознанность, то начнете понимать, что все в нашей вселенной имеет сознание, и каждая молекула будет поддерживать вас так, как вы никода себе даже не могли представить. Эта помощь становиться вам доступна, когда вы задаете вопросы.Поскольку мы с Дэйном живем в состоянии вопроса, мы постоянно что-то получаем таким образом, которым мы бы сами никогда не додумались. Люди, деньги и вещи появляются в нашей жизни самым неожиданным образом. Они приходят к нам из самых разных уголков Вселенной, чтобы быть частью нашей жизни. Порой мы недоумеваем от того, как они нас находят. Приведем в пример пару вопросов, которые мы используем.

«Если я тебя куплю, принесешь ли ты мне деньги?»

Вы когда-нибудь решали для себя, что инвестирование в дом или ценные бумаги принесет вам большой доход? Ну и как? Если вы зададите вопрос своей инвестиции или дому или чему-угодно и прислушаетесь к ответу, вы всегда будете знать, принесет ли эта покупка вам деньги. Спросите: «Если я тебя куплю, принесешь ли ты мне деньги?» Если в ответ, вы получите «да» (или ощущение легкости), значит это принесет вам деньги.

Задавайте этот вопрос по отношению к любым покупкам. При этом вам нужно отстраниться от своих убеждений и желаний, чтобы суметь получить ответ, исходящий от той вещи, которую вы подумываете приобрести. Если у вас сложилось твердое убеждение, что определенная покупка, например, костюм, принесет вам деньги, несмотря ни на что, то вы не услышите ответ костюма. Ведь вы уже не спрашиваете: «Если я тебя куплю, принесешь ли ты мне деньги?». Но если вы зададите вопрос и действительно прислушаетесь к ответу, он вам скажет «да» или «нет». Ничто не лжет, за исключением вас самих. Вещи не лгут. Это значит, что вы можете задавать им вопросы, и они предоставят вам интересующую вас информацию.

Если я раздумываю по-поводу покупки автомобиля, я задам автомобилю вопрос: «Принесешь ли ты мне деньги?» Ожидаю ли я при этом, что он непосредственно принесет мне деньги? Не обязательно. Это не всегда проявляется очевидным способом. Энергия каждой вещи, которую вы покупаете, добавляется к энергии целого. А энергия целого, в свою очередь, будет генерировать для вас те деньги, которые вы бы хотели иметь. Возможно, при помощи этой машины я приду куда-то, где сделаю деньги.

Задавать вопросы – это не означает пытаться прийти к заключению о том, как та или иная вещь будет приносить вам доход. Это готовность осознать, будет ли она в принципе приносить вам доход. Я пользуюсь этим вопросом со всеми вещами, которые подумываю купить, включая лошадей, антиквариат, одежду и даже нижнее бельё. Я не покупаю то нижнее бельё, которое не говорит, что принесет мне доход. Я не стриптизёр и раздевание не приносит мне деньги, но я готов смотреть на все вещи, как на вклад в мою жизнь. Чем больше вы готовы позволять вещам делать вклад в вашу жизнь и дарить имеющуюся у них энергию, тем больше вы сможете получить и тем больше денег вы сможете иметь.

Если вы хотите иметь больше денег, мы предлагаем вам все в вашей жизни ставить под вопрос. Спрашивайте: «Будет ли эта вещь в моей жизни приносить мне деньги?» Посмотрите на всю свою жизнь. «Будет ли это, что бы то ни было, приносить мне больше денег?» Это может быть применимо как к отношениям, так и к комоду в вашей комнате, к автомобилю или же ко всем этим вещам. «Будет ли это приносить мне больше денег?»

Вам также нужно знать, что вы можете себе позволить купить. Если вы хотите купить дом, на который потребуется ипотека на 800 000 тысяч долларов, вам нужно знать, сумеете ли вы найти достаточное количество денег, чтобы покрыть ипотеку, налоги и страховку. Вы обязаны знать, сколько вам будет необходимо денег в месяц, чтобы определить, сможете ли вы это себе позволить. Прежде чем обращаться за кредитом, вы должны быть уверены в том, что сможете себе его позволить и сумеете с легкостью делать выплаты. Если выплата ипотеки за ваш прекрасный дом приведет к огромному стрессу, стоит ли ее вообще брать? Вам нужно спросить у дома: «Ты принесешь мне деньги?» Спросите тот дом, в котором вы собираетесь жить: «Если я тебя куплю, ты принесешь мне деньги?» Если вы собираетесь снимать дом, спросите: «Ты принесешь мне деньги?» Спрашивайте все, на что вы собираетесь потратить деньги: «Ты принесешь мне деньги?»

Оправдает ли это затраты?

Альтернативой вопросу «Принесешь ли ты мне деньги?» является «Оправдает ли это затраты?» Пару дней назад я отправился по делам с женщиной, которая на нас работает. Мы увидели в витрине одного престижного магазина шикарное платье, я заставил нашу помощницу зайти внутрь и его померить. Она в нем смотрелась великолепно. Я спросил: «Оправдает ли затраты покупка для нее этого платья?» Ответ был утвердительным и я заплатил за платье. Тогда я не знал, как эта покупка себя оправдает. Я не имел ни малейшего представления, как это будет выглядеть. Как потом оказалось, после того как я купил нашей помощнице платье, которое ей вначале было очень трудно принять, она в своей Вселенной перешла на целый новый уровень принятия и стала генерировать бизнес в большем объеме.

Большинство из нас, прежде чем сделать очередной шаг, хочет знать, в какой форме окупятся затраты. Нас интересует: «Где я получу свое вознаграждение? Как я его получу? Сколько денег я сделаю?» Вознаграждение может привести к большему количеству денег, но оно не обязательно проявится именно в этом виде. Вознаграждение может реализоваться самыми различными путями и может проявиться в качестве большей осознанности в денежных вопросах. Вот еще несколько дополнительных вопросов, которыми вы можете воспользоваться.

Нужно ли мне покупать тебя сейчас?

Представим, что вы в книжном магазине. Вам хотелось бы приобрести три книги. Одна – роман, другая – книга по бизнесу и третья – эротика. Вы задали вопрос: «Если я тебя куплю, принесешь ли ты мне деньги?» И все три книги сказали «да». У вас всего лишь 50 долларов в кармане и если вы сейчас заплатите за все три, то останетесь без денег. Что делать в подобной ситуации? Вам следует задать вопрос: «Надо ли мне купить тебя прямо сейчас?»

Ты действительно хочешь стать моим владельцем?

Меня как-то спросили: «Я хочу кое-что приобрести, что принесет мне удовольствие, но, когда я спросил принесет ли мне эта вещь деньги, в ответ я услышал «нет». Но мне все равно хочется это купить - было бы здорово иметь эту вещь. Стоит ли мне все-равно ее приобрести?»

Мой ответ был «Нет».

Но в такой ситуации можно сделать следующее. Спросите вещь: «Ты действительно хочешь стать моим владельцем?» Если ответ утвердительный, задайте вопрос: «При какой цене ты принесешь мне деньги?» Вещь вам ответит, и тогда вы сможете предложить свою цену. Когда я так поступаю, в девяноста девяти процентах случаев продавцы мое предложение принимают.

Недавно Дэйн сказал мне, что хотел купить себе в комнату ковер, и я ему сказал: «В таком-то магазине продается роскошный ковер с изображением китайских монет». И он пошел на него посмотреть. Владелец магазина просил за него 3 500 долларов, по его словам, цена была снижена с 5 000 долларов.

Дэйн задал вопрос ковру: «Принесешь ли ты мне деньги?» и в ответ услышал «нет».

Ему очень хотелось купить этот ковер, но когда он получил отрицательный ответ, он сказал «Окей, очень жаль».

Он позвонил мне: «Ковер сказал, что не принесет мне денег, так что я не стану его покупать, но он просто супер. Единственный ковер подходящего размера и цвета, который попался мне на глаза».

Я посоветовал Дэйну спросить, есть ли цена, при которой ковер принесет ему деньги.

Он задал вопрос: «Принесешь ли ты мне деньги при стоимости в 3 000 долларов?» Ответ был отрицательным. Он продолжил спрашивать: «Принесешь ли ты мне деньги при стоимости в 2 750 долларов?» Опять ответ был «нет». В конце концов он спросил: «Если я тебя куплю за 2 500 долларов, принесешь ли ты мне деньги?» И ковер ответил «да».

Дэйн заговорил с владельцем магазина: «С вашей стороны было очень любезно предложить мне, как знакомому Гэри, специальную цену. Я очень за это благодарен, но могу заплатить за ковер только 2 500 долларов».

И продавец сказал: «Забирайте».

За 3 500 ковер не принес бы Дэйну денег. Ответ был твердым: «нет», но когда он снизил цену до 2 500, то открылись новые возможности, по этой цене ковер превратился в привлекательную покупку.

Когда вы разговариваете с потенциальной покупкой, вы понимаете, что ковер или любая другая вещь общается с вами. Ковер знает цену, по которой продавец его продаст.

А вы нет. Ковер в данном случае готов быть разумнее, чем вы.

Скажи мне, когда тебя нужно продать, чтобы сделать деньги

Когда вы собираетесь вложить деньги в акции, золото, серебро или нечто подобное, вам нужно спросить: «Принесешь ли ты мне деньги?» Но как только вы сделаете свою инвестицию, вам нужно будет каждый день поддерживать свою осознанность. Спрашивайте свое вложение: «Скажи мне, когда тебя нужно продать, чтобы сделать деньги?» Иначе вы можете передержать свои инвестиции и их ценность упадет.

Мы знаем даму, для которой инвестиции делал один парень, ее приятель, она вложила 10 000 долларов и за два с половиной месяца она сделала на них 70 000. На каком-то этапе она почувствовала, что нужно забрать деньги, но ей не хотелось оскорбить этим своего друга, который сделал ей такую крупную сумму. Она придержала свои инвестиции, хотя и знала, что пришло время продавать. За последующие шесть месяцев ценность ее вложения снизилась с 70 000 до 7 500.

Она получила информацию о том, что деньги нужно было изымать, но не приняла мер. Когда вы вкладываете деньги, вам следует осознавать, что существуют временные рамки. Не забудьте попросить свои вклады: «Скажи мне, когда тебя продать, чтобы сделать деньги».

Если вы работаете консультантом по инвестициям, то можете поиграть с этим инструментом и посмотреть, как это работает на счетах ваших клиентов. Спросите: «Акции, скажите мне, когда пришло время вас продать». Продайте часть, когда получите утвердительный ответ, а часть оставьте. Посмотрите, какая из них принесет вам больше денег. За последний год золото поднималось и падало в цене примерно на 100 долларов в месяц. Если бы вы спросили золото: «Скажи, в какой день мне нужно тебя продать?» и «В какой день мне нужно тебя купить?», вы заработали бы приличную сумму денег.

Это схоже с изучением иностранного языка. Занимайтесь, и со временем вы станете лучше распознавать нюансы и отчетливо понимать «да» или «нет». Если вы будете постоянно работать с этими вопросами, то, в конце концов, вы сумеете правильно выбирать время для подходящих покупок и продаж.

Можно ли с тобой что-нибудь сделать, чтобы превратить тебя в большее количество денег?

Чем бы тебе хотелось стать? Некоторым людям тяжело понять идею владения деньгами. Они видят деньги, которые ни во что не вложены, и начинают думать: «Эти деньги теряют свою ценность, мне следовало бы их как-то использовать». Они не готовы просто владеть деньгами. Им кажется, что им нужно с ними что-то делать. Если вы находитесь в такой ситуации, когда у вас есть средства, которые хотелось бы инвестировать, можно сделать следующее. Вы можете попросить имеющуюся сумму помочь вам сделать еще больше денег. Спросите: «Можем ли мы с тобой что-нибудь сделать, чтобы превратить тебя в большее количество денег? Чем бы тебе хотелось стать?» Вы также можете спросить вещь, по какой цене ее продать.

По какой цене тебя можно продать?

Владеете ли вы чем-либо на самом деле? Нет. Владеете ли вы машиной? Нет. А почему? Потому что, вам приходится ходить на работу, чтобы ее оплачивать; она ведь не работает, чтобы платить вам. Она владеет вами, а не вы ею. Вы не являетесь владельцем своего дома, мебели или других вещей, потому что именно вам приходится работать, чтобы расплачиваться за них, ухаживать за ними, полировать и чистить. Вы - раб и слуга вашего дома и всех ваших вещей. Вам ничего не принадлежит. Вы дворецкий или распорядитель, вот и все. Вы ответственны за поддержание порядка. У вас есть только временный контроль над этими вещами. Вы не владеете ими, они лишь находятся у вас на настоящий момент. Очень важно иметь об этом ясное представление. Вы платите за вещи и трудитесь, чтобы ухаживать за ними. Возможно, стоит задуматься о том, дают ли они вам что-нибудь взамен. Многие после таких размышлений заявляют, что не желают больше натирать свое серебро и смахивать пыль с мебели.

Тогда я им говорю: «Спросите свои вещи, куда они желают переехать, где людям будет нравиться их полировать. Или наймите кого-нибудь, кто будет за ними ухаживать. Или упакуйте их в коробки и уберите. Купите мебель, которую не нужно полировать. Купите крутую мебель из нержавеющей стали, которую не нужно натирать. Купите золотую мебель. Золото полировать не обязательно».

Некоторым людям приносит удовольствие уход за вещами. Мне обычно не нравится мыть посуду руками, но я обожаю мыть свой фарфор. Мне приятна возникающая взаимосвязь между руками, водой, мыльной пеной и посудой. Мне приятно ощущать их взаимодействие, это дополняет мою жизнь. Мытье посуды дает мне ощущение покоя, поэтому мне нравится за ней ухаживать.

Если же вам не нравится о чем-то заботиться, задайте этому вопрос: «По какой цене тебя можно продать?» Если у вас оказалась вещь, которую вы приобрели не спрашивая, принесет ли она вам деньги, узнайте у нее: «Хочешь ли ты остаться в моей жизни или владеть другим человеком?»

А потом спросите вещь, почем ее можно продать.

Когда приходит время продавать дом или что-то еще, всегда задавайте вопрос «По какой цене тебя можно продать?» Я это делаю так – «За 350 долларов? За 400? За 425? За 450? Ладно, меньше чем за 450 долларов. Значит 435? Хорошо, меньше чем 435. 432 доллара? Отлично!» И такую цену вы потом выставляете.

Я знал людей, которые хотели продать свое ранчо. Они безуспешно выставляли его на рынке за 12 миллионов долларов на протяжении долгого времени и так его и не продали. Их агент заявил, что цену нужно сбросить до 9 миллионов.

Я спросил у ранчо: «По какой цене ты хочешь, чтобы тебя продали?» и получил ответ : «15 миллионов долларов»

Можете представить себе лицо агента, когда эти люди подняли цену до 15 миллионов долларов?

Агент стал возмущаться, что так никто не делает!

А они в ответ сказали, что будут действовать именно так и поднимают цену до 15 миллионов долларов.

Через две недели им поступило предложение о покупке за полную цену от людей, которые искали именно такое ранчо. Покупатели решили, что их ранчо будет стоить 15 миллионов долларов. Они даже не искали ничего в пределах 12 миллионов. Они хотели заплатить 15 миллионов долларов.

Кем ты хочешь владеть?

Вы выставили свой дом на рынок недвижимости? Не пытайтесь его продавать сами, вместо этого попросите свой дом найти себе нового хозяина, человека, которым дом хочет владеть.

Наши друзья искали новый дом, их собственный дом стал для них недостаточно большим. В один прекрасный день они нашли новое подходящее им место для жилья, при покупке которого срок хранения средств у третьего лица составлял тридцать дней, но они еще не выставили свой старый дом на продажу.

Они позвонили мне с вопросом, что им делать.

Мои рекомендации были следующими: «Попросите свой дом найти и обратиться к тем людям, которых он хочет иметь своими хозяевами. Затем тяните в дом энергию со всей Вселенной и позвольте маленьким ручейкам этой энергии отправиться к тем людям, которые его уже ищут, но пока еще об этом не знают. Потом подберите себе агента по продаже недвижимости».

Два часа спустя им позвонил какой-то агент с вопросом о том, не продается ли случайно их дом.

Через пару дней они получили предложение по максимальной цене с тридцатидневным сроком завершения сделки. Они плавно переехали из одного дома в другой. Это великолепный пример того, как можно генерировать различные возможности, когда вы готовы задавать вопросы и функционировать исходя из энергии вещей.

Если у вас есть дом, который хочет владеть другим жильцом, начните тянуть в него энергию со всех уголков Вселенной, затем попросите эту энергию направить тонкие потоки ко всем тем людям, которые ищут этот дом, но еще не знают об этом. Когда человек, которым дом желает владеть как своим хозяином войдет в его двери, попросите дом сбалансировать энергии их обоих. Вы притягиваете энергию со всех уголков Вселенной, когда появляется «нужный» вам человек, то дом сам начинает посылать ему такую же энергию, и человек вдруг восклицает: «Ой, именно такой дом я ищу!» Люди понимают, что нашли ту самую энергию, которую искали.

Одна дама рассказала нам, что уже полтора года продает дом во Флориде. Она узнала про прием балансирования энергии, когда была на семинаре «Access» в Сиэтле и сразу же стала применять знания на практике. На следующий день кто-то из Нью-Хэмпшира, кто даже не бывал в ее доме, почувствовал энергию. Он позвонил агенту нашей дамы и сделал предложение о покупке.

Как Использовать Вопросы В Вашем Бизнесе

Обычно люди начинают новые отношения или открывают бизнес, а потом пытаются поддерживать их в таком же виде, думая, что будут продолжать получать все те же результаты, как и прежде. Однако это так не работает. Вы должны быть готовы регулярно все менять. Жизненный цикл бизнеса, в основном, составляет семьдесят пять лет, что совпадает с ожидаемой продолжительностью жизни человека. Почему так происходит? У людей появляется идея для бизнеса и они начинают исходя из нее что-то создавать. Потом они решают, что их идея верна и перестают что-либо менять. Они продолжают делать все точно так же, как и прежде. Точно таким же образом мы убиваем наши тела. Как только вы решили, что выбрали «правильный» стиль и привычки питания, вы перестаете заниматься своим телом в настоящий момент. Вы принимаете решение о том, как что-то должно быть и рьяно придерживаетесь своего решения. Вашему организму, возможно, нравится быть вегетарианцем два-три года, но потом он скажет: «Окей, этого мне было достаточно, теперь я хочу что-нибудь другое». Со мной именно так и произошло. Я был вегетарианцем на протяжении трех лет, а потом однажды зашел в гастроном в Нью-Йорке и мое тело взмолилось: «Стейк! Хочу стейк!»

Я сказал себе: «Окей, хорошо» и заказал стейк.

«Как приготовить?»,- спросил официант.

«С кровью», - ответил я.

«С кровью нельзя», - заявил он.

Я поинтересовался: «Какое у вас минимальное время тепловой обработки?»

«По минуте на каждой стороне», - сказал он.

Я согласился: «Ладно, тогда именно в таком виде я его и хочу».

Это было самое вкусное блюдо в моей жизни. Я был вегетарианцем, и раньше, когда я возвращался к употреблению мяса, меня тошнило в течении трех дней. Теперь же все произошло иначе. Стейк был именно тем, чего хотелось моему организму. Теперь я слушаю свое тело и оно всегда мне сообщает, что оно хочет. У меня нет точки зрения наподобие: «Это я ем, а это - не ем».

То же самое относится к бизнесу. Если вы решаете, что «именно так мы теперь будем вести дела», вы придете к застою, т.к. прекратите задавать вопросы. Переставая заниматься чем-то новым, вы перестаете создавать. В конечном итоге ваш бизнес умирает. Такое часто происходит с большими компаниями. Например, IBM долгое время являлась большим игроком в компьютерной индустрии, а затем пришли малые компании, использующие в своей работе инновационные технологии, и они забрали огромную долю их рынка. Компания IBM оказалась в упадке. В один прекрасный день они, в конце концов, поняли, что перед ними стоит выбор – либо меняться, либо погибать. Они пригласили людей, которые проконсультировали их в отношении того, что они могли сделать по-другому. Теперь корпоративная культура IBM очень сильно отличается, а в тех областях, где они внедрили инновационные технологии, они опять стали развиваться. В настоящее время эта компания больше напоминает Google, нежели большую старую консервативную IBM.

Что я могу изменить, что будет генерировать бизнес в большем объеме сегодня, завтра и каждый последующий день?

Если вы будете задавать вопросы в отношении своего бизнеса, то это поможет вам совершить нужные изменения, которые поспособствуют вашему бизнесу быть генерирующим и жизнестойким. Вопрос, который вам в этом поможет, это **«Что я могу изменить, что будет генерировать бизнес в большем объеме сегодня, завтра и каждый последующий день?»** Часто проделанные перемены приводят к большей экономической эффективности бизнеса. Ответ совершенно необязательно лежит в сокращении размеров, хотя это тоже бывает необходимым. Мы не говорим, что стоит что-то удерживать. Вы должны быть готовы расстаться с чем-угодно, что должно уйти, будь то отношения, работники или ваши сотрудники, чтобы все так или иначе делало свой вклад в ту жизнь, которую вы бы хотели иметь.

Иногда сокращения, увольнение людей или урезание им зарплат - уместны. Если вы раздумываете об этом, можете предоставить людям выбор. На совещании вы можете им сказать, что в нынешних экономических условиях мы испытываем трудности и у нас есть выбор: мы можем или сократить некоторое количество работников или урезать зарплату всем. Какие у вас пожелания? Вы бы предпочли быть сокращенным или получать меньшую зарплату? Вы будете удивлены количеством людей, которые будут спрашивать вас о том, что нужно сделать, чтобы генерировать больше бизнеса. Это именно те работники, которых стоит оставить! Если никто не задал такого вопроса, у вас, наверное, неправильные сотрудники; а это значит, что сокращение таких людей или урезание их зарплаты будет самым правильным решением.

Если я сокращу этого сотрудника, будет ли это генерировать мне больше денег?

Это очень полезный вопрос, потому что существуют некоторые люди, которые вносят свой вклад в энергию вашего бизнеса, даже если не создают впечатление бурной деятельности. А есть люди, которые вроде бы выполняют много работы, но по сути уничтожают ваш бизнес. Задайте вопрос: «Этот человек генерирует больше денег для бизнеса? Если он останется, будет ли это генерировать больше денег и больший объем бизнеса, или же его увольнение будет генерировать больше денег и больший объем бизнеса?» Это важные вопросы, потому что, возможно, именно сокращение приведет к большей экономической эффективности, а может быть, это и не так.

Принесет ли этот человек больше денег?

Также используйте вопросы, когда вы нанимаете людей на работу. Спросите себя: «Принесет ли этот человек больше денег? Сделает ли этот сотрудник вклад в сознание моего бизнеса?» Именно таким образом мы выбираем, кого нам нанять.

Однажды мы с Дэйном обедали в ресторане и краем уха услышали, как за соседним столом мужчина уговаривал женщину согласиться изменить свой процент от продаж. Он ее убеждал: «Мы будем платить вам пятнадцать процентов от ваших годовых продаж, если объем продаж превысит один миллион, и десять процентов – при объемах в 500 000 долларов. Выбор за вами. Что вы предпочтете: десять или пятнадцать процентов? Если вы не заработаете миллиона долларов, мы выделим вам только десять процентов, даже если продажи превысят 500 000 долларов». Он ее просто подставлял. Он не предлагал ей пятнадцать процентов от объема продаж свыше 500 000 долларов, только с суммы свыше миллиона. Если бы она почти подошла к миллиону, но немного не дотянула, она бы потерпела фиаско.

Дэйн подошел к мужчине и предложил бесплатно проконсультировать женщину, поскольку подумывал начать работать в этой сфере, на что мужчина жутко разозлился. «Я являюсь менеджером по продажам компании из списка Fortune 500!». Он был вне себя, что Дэйн его прервал, потому что он уже продумал, как обмануть эту женщину и заставить ее работать больше. Именно так поступает большинство компаний. Вместо того чтобы вознаградить человека, приносящего их бизнесу прибыль, они наказывают своих сотрудников за то, что те не достигают заведомо невозможных целей, чтобы им пришлось платить меньший процент. Почему бы не вознаграждать людей, которые работают на вас, вместо того, чтобы их наказывать?

Вопрос заключается в следующем: «Вы желаете генерировать свой бизнес или желаете его уничтожить?» Этот менеджер по продажам буквально разрушал свой бизнес. А ведь его компания может в будущем перейти из списка Fortune 500 в Fortune 200.

Вот еще несколько вопросов, которые вы можете использовать, чтобы генерировать деньги в своем бизнесе. Они помогут вам в создании энергии, которая будет генерировать будущее вашего бизнеса.

Что я могу сделать, чтобы увеличить продажи?

Что я могу сделать, чтобы увеличить бизнес?

Чем я могу быть, что я могу делать, иметь, создавать и генерировать сегодня, что будет генерировать и создавать больший объем бизнеса?

Чем может мой бизнес быть, что он может делать, иметь, создавать и генерировать сегодня, что и сейчас и в будущем будет генерировать его больший объем?

Создавайте Будущее

Если вы действительно хотите генерировать деньги в своей жизни, вам необходимо оценить, сколько денег вы собираетесь генерировать сегодня и в будущем. Вы прекрасно понимаете, что у вас может быть и нет всех тех денег, которые вы хотели бы иметь, но вы знаете, что прямо сейчас готовы иметь энную сумму долларов, а в будущем хотели бы генерировать нечто иное.

Генерировать означает быть зарядом или той батарейкой, которая поддерживает все в движении. Если на вашем iPod сядет батарейка, он перестанет работать. Если батарейка сядет на вашем телефоне, ваш разговор внезапно прервется. Представьте, что вы – электростанция в вашей жизни. Вы – тот генератор, который поддерживает все в движении. Ощущается, что идет процесс непрерывного созидания.

Мы часто видим людей, которые решают так: «Если я предоставлю услугу этому человеку, он взамен даст мне деньги». Хорошо, он или она даст вам деньги, но вам нужно также спросить: «Будет ли это также генерировать что-нибудь в будущем?» Немногим приходит в голову задать подобный вопрос. Их интересует только сегодня. Они не сосредоточены на генерировании в будущем. Люди считают, что в будущем все произойдет само собой. В этом и заключается разница между получением денег и их генерированием. Если вы собираетесь иметь деньги, вы должны быть готовы генерировать их не только сегодня, но и в будущем. Задайте вопрос: «Если я сделаю это сегодня, что это создаст для меня сегодня и в будущем?»

Отличие завершения от содействия

Нам зачастую попадаются люди, которые говорят: «Мне нужно достать денег, чтобы заплатить за съем квартиры», и они идут и делают ту сумму, которой хватает на оплату квартиры. Как только они это сделали, они перестают пользоваться своей генерирующей энергией. Они мыслят так: «С этим разобрались, деньги за квартиру есть. Теперь можно и остановиться». Нет, все на самом деле не так. В жизни невозможно с чем-то разобраться раз и навсегда, вы постоянно разбираетесь со своей жизнью. Ваша жизнь не прекращается после того, как вы что-то заканчиваете. Подобная идея заставляет вас мыслить в рамках замкнутого круга, где все когда-то начинается и заканчивается. Когда вы проживаете свою жизнь, будто в ней есть конечные пункты, вы уменьшаете количество используемой энергии, а ваши денежные потоки притормаживаются до следующей чрезвычайной ситуации, когда вы опять начинаете генерировать, как сумасшедший.

Во Вселенной нет завершенности. Разве молекула или атом что-то завершают? Нет. Энергию невозможно уничтожить, она просто преобразовывается и изменяется. Вы никогда в своей жизни ничего не завершили. Вы только создавали новые возможности. Каждый раз, когда вы на что-то смотрите по-иному, вы содействуете новым возможностям в своей жизни или свежему старту для создания чего-то большего. А что, если каждый раз, когда вы будете что-нибудь завершать, вы станете думать об этом не как о финале, а как о вашем вкладе во что-то? На самом деле, это так и есть. Все, что вы заканчиваете, является вкладом в нечто последующее, что вы будете генерировать. И так оно и продолжается, генерирование происходит снова и снова. Многих людей научили доводить начатое до «конца», как будто завершенность вообще существует. Достигать чего-либо – это совершенно нормально, но при этом продолжайте генерировать. Задайте себе вопрос: «Что еще более значительное я могу сейчас создавать и генерировать?»

Нас учили, что мы должны всегда доводить дело до конца. «Что ты собираешься сделать сегодня?» Сделать. Закончить. В моем обиходе этого понятия больше нет. Раньше я просыпался и каждое утро составлял себе список заданий на день длинной в три страницы. Потом я очень энергично работал над тем, чтобы выполнить все, что было в списке. Однако до конца я доводил немногое, т.к. слишком был озабочен завершением, а не генерированием. Как только я стал вести себя иначе и задаваться вопросом: «Окей, что сегодня возможно?», я стал различать, что хочет этот день, чтобы я сделал и кем был, в отличие от того, что я сам себе придумал.

Как бы парадоксально это ни звучало, но когда у вас слишком много дел и вы не можете довести их до конца, это означает, что вы недостаточно генерируете. У вас в жизни происходит недостаточно. Вы сможете завершить все свои дела, когда добавите в свою жизнь еще что-то. Вопрос «Что я могу добавить в свою жизнь?» касается генерирования, он означает: «А что еще возможно?»

Генерирование денег на сегодня, это: «Мне нужны деньги, чтобы заплатить за дом. Мне нужно достаточно денег, чтобы в течение пяти лет выплатить машину. Мне нужна энная сумма. Мне нужно то, мне нужно сё».

Если вы не будете планировать то, что вы собираетесь иметь завтра, то сегодня вы не будете генерировать для завтра. И вам будет впритык хватать на сегодня. Это не генерирование жизни. Это всего лишь стремление заполучить необходимые на сегодня деньги, чтобы убедиться, что вы не потеряете то, что у вас уже есть. Находитесь ли вы в постоянном состоянии генерирования? Ваша жизнь – это непрекращающийся поток и рост или же вы бежите по замкнутому кругу, где все начинается и заканчивается? Очень желательно, чтобы ваша жизнь постоянно расширялась.

Сдвиг такого рода меняет то, как вы смотрите на вещи. Задайте себе такой вопрос: «Что если бы я посмотрел на текущий момент, и как мой выбор в настоящем отразится на моем будущем в отношении денег?» Это только начало. Смена перспективы приводит к раскрытию сознания. Это похоже на ситуацию, когда вы идете по дороге и не видите ничего, что у вас происходит слева или справа, потому что вы решили смотреть только вперед. Затем внезапно в вашем сознании происходит перемена. Вы оглядываетесь по сторонам и восклицаете: «Ух-ты! И справа и слева много всего, чего я никогда раньше не замечал». Ваше видение расширяется, когда вы решаете: «Я не собираюсь жить только сегодняшним днем. Я организую вещи так, чтобы генерировать то будущее, которое я хотел бы иметь и от которого я бы получал удовольствие.». Вы можете стать более осознанным и изменить свой ракурс так, чтобы видеть, что происходит и справа и слева от вас, принимая во внимание «не только сегодня, но и завтра» и задавая вопросы, чтобы генерировать деньги и сейчас и в будущем.

Вам необходимо понять, что от выбора, который вы делаете каждый день, зависит то, как вы будете генерировать серьезные суммы денег в будущем. Выбор должен делаться с учетом и настоящего и будущего. Будущее невозможно догнать, на то оно и будущее. Поэтому вам и необходимо задавать вопрос: «Чем я могу быть, что я могу делать, иметь, создавать и генерировать и сегодня и в будущем?» С этого вопроса, кстати, и стоит начинать свой день.

Мгновенные результаты

Многие воспринимают деньги как входящие и исходящие потоки. Они верят в то, что если направить определенные усилия вовне, то взамен незамедлительно получат финансовые вливания, однако все совсем не так. Подобная точка зрения становится проблемой, потому что если мгновенные результаты не дают о себе знать, люди ставят под сомнение свою способность генерировать деньги.

Энергия, которую вы вкладываете сегодня, возможно будет генерировать огромные суммы денег, но увидеть вы их сможете только через шесть месяцев. Не исключено, что в этот промежуток времени у вас будет закрадываться мысль: «Никакого результата не последовало. У меня не получилось сегодня ничего сгенерировать. Значит и завтра ничего не будет». Когда вы принимаете подобное решение именно так и происходит. Вы решили, что ничего не получилось, а это означает, что если бы что-то и должно было произойти через шесть месяцев, теперь вы этот результат не получите. Вы разрушаете результат еще до того, как его получили. Вы прекращаете начатый процесс генерирования, когда принимаете решение типа: «Это не принесло мне результатов». Это одно из основных различий между теми, кто достигает успеха в бизнесе и теми, кто ничего не добивается. Успешные люди не делают опрометчивых выводов. Они продолжают задавать вопросы: «А что это создало?» и «А что еще возможно?»

Вы не знаете, каков будет результат вашего выбора. Разве десять лет назад вы знали, что те решения, которые вы принимали приведут к той жизни, которую вы сейчас имеете? Именно по этой причине вам нужно задавать вопрос: «Чем я могу быть, что я могу делать, иметь, создавать и генерировать сегодня, что сделает деньги и сегодня и в будущем?» Вы должны быть готовы генерировать это одновременно и сегодня и в будущем. Обычно люди рассуждают так: «Я собирался сделать это, но ничего не получилось». «Ничего не получилось» означает «это финал», что останавливает поток энергии и все будущие возможности. «Ничего не получилось» не обязательно является правдой. Это всего лишь означает, что пока ничего не произошло. Мы видим, что люди так постоянно и поступают. Вам нужно разрушить все выверенные планы, которые ведут к недостатку терпения и вашей неготовности дождаться проявления того, что вы генерировали.

Когда я только начинал «Access», разве меня уже ждали люди, желавшие посетить семинар? Конечно нет! Но я начал с людьми об этом говорить. На протяжении шести месяцев я позвонил всем, кого знал, спрашивал как у них идут дела и что происходит в жизни, но никогда не упоминал про «Access», пока они сами не задавали мне вопроса. А если же меня спрашивали, я рассказывал чем занимаюсь и в ответ задавал вопрос, знают ли они кого-нибудь, кто был бы заинтересован в занятиях. Большинство отвечало: «Наверно нет, так сразу и не вспомню... С другой стороны, я могу помочь по-другому, почему бы мне не пригласить несколько человек, перед которыми ты бы мог сделать презентацию?» Общаясь с людьми, я создавал будущее. Я никогда не останавливал энергию. Одной женщине я рассказывал про «Access» двадцать лет назад и она, в конце концов, начала ходить на семинары. Обладаете ли вы таким терпением? Или вы думаете: «Если что-то не произошло вчера, значит, вообще не произойдет?».

Считаете ли вы, что ваш входящий поток не так быстр, как исходящий? Согласны ли вы разрушить и рассоздать все имеющиеся у вас выверенные планы и РСРВ, которые делают это правдой?

«РАЙТ, РОНГ, ГУД, БЭД, ПОК, ПОД, ОЛ НАЙН, ШОРТС, БОЙЗ ЭНД БЕЙОНДЗ»

Выдвигайте требования

Некоторые люди постоянно ставят перед собой цели. Например, «через два года у меня будет миллион долларов». Проблема с постановкой цели в том, что цели могут превратиться в ограничения. Скажем, вы решили заработать один миллион долларов. Хорошо, так тому и быть, теперь у вас есть миллион долларов. Получится ли у вас превысить эту сумму? Нет. Потому что цель означает ту линию или место, где ваша гонка или путешествие заканчивается. Слово «цель»3 происходит от среднеанглийского слова, означающего «граница» или «ограничение».

Если вы выполните свою задачу и не признаете это, то вам придется разрушить то, что у вас есть, чтобы снова начать заново и выполнить ту же самую задачу. С другой стороны, мишень - это то, во что можно стрелять бесконечно. Если вы даже не попадете в яблочко, то все-равно можно продолжать стрелять. Цель - это ваше решение, в то время как мишень - это вопрос. Окей, во что я буду стрелять? Это предоставляет больший выбор. Вы можете стрелять в другие мишени. У вас может быть несколько мишеней.

Некоторые, как например это делает Тони Роббинс, учат тому, что сначала необходимо определиться со своими

---

3   С англ. goal.

стремлениями и составить планы по достижению целей. По их мнению, у вас должны быть планы, стремления и цели, чтобы вы могли создавать жизнь, которая будет похожа на А, Б или В. Они говорят: «Делайте то, чтобы получить это». Вы когда-нибудь пытались так делать? И что у вас получилось? Такой подход может подойти тем людям, которые мыслят с позиции: «Я сначала сделаю вот это, это и вон то, чтобы получить деньги, а потом спокойно выйду на пенсию и умру», но для большинства такой подход не работает. Он никак не связан с вами и вашей жизнью и получением радости от вашей жизни. Единственная вещь, которая действительно работает, это выдвижение требований.

Когда вы становитесь готовы выдвигать требования, все начинает меняться. Вы когда-нибудь состояли в отношениях, которые не совсем ладились? Вы не были полностью счастливы, но и не хотели ничего менять, поэтому ваши отношения продолжали идти своим чередом. И, в конце концов, однажды вам это надоедало и вы заявляли: «Пора что-то менять. Или это поменяется, или я с собой покончу. Меня не волнует, что именно произойдет». И вдруг все менялось. Такова эффективность выдвижения требований.

Мы ведем речь о требованиях к самому себе или к своему бизнесу. Мы не говорим о выдвижении требований к другим. Речь не о том, чтобы другие люди верно поступали, понимали что-то правильно или давали вам то, что вы желаете. Единственный, кто может измениться, - это вы. Вам нужно выдвинуть требование к себе: «Все, хватит! Это меняется, во что бы то ни стало». Не надо себя осуждать. Не наговаривайте на себя и не делайте виноватым. Просто потребуйте от себя измениться. «Во что бы то ни стало, у меня будет собственный источник дохода в течение следующего года. У меня будет такая жизнь, которую я бы на самом деле хотел».

Вы должны дойти до точки, когда заявите: «Я больше так жить не могу. Мне не важно, как это будет выглядеть, но у меня будет другая жизнь». Не пытайтесь исправить то, что больше не работает. Если в вашей жизни что-то не клеится, выдвигайте требование и начинайте действовать иначе. Ваши требования создают ваше будущее. «Я требую, что во что бы то ни стало, я меняю свою текущую финансовую ситуацию. Она будет другой». Не говорите, что ситуация будет лучше. Почему? Потому что «лучше» это суждение. «Лучше» основано на сравнении с тем, что у вас было, а «измениться или стать другой» не имеет никакого сравнения. Вам нужно потребовать, что как бы то ни было, вы будете создавать себе иное будущее.

Когда вы не генерируете то, что хотите в своей жизни, у вас обычно имеется тысяча оправданий, почему вы это не делаете: «Это слишком сложно», «Это не получится», «Я уже это как-то раз пробовал». Разве оправдания помогут вам что-нибудь изменить? Вы просто должны предъявить требование: «Я это сделаю, как бы там ни было!». Когда для меня настало время заняться «Access», я сказал себе, что «буду этим заниматься, во что бы то ни стало».

Просить чего-то - это жалко. Требуйте. «У меня это будет и все тут!» Вы когда-нибудь просили в ресторане стакан воды? Вы говорили: «Будьте любезны, принесите мне воды», а официант вас игнорировал? Вы снова просили: «Будьте добры, принесите мне, пожалуйста, воды» И он вас опять игнорировал. А потом вы заявляли: «Принесите мне воды прямо сейчас, пожалуйста!» Разве на этот раз он вас игнорировал? Нет, потому что вы выдвинули требование.

У нас спрашивают: «Мне нужно выдвигать требование к самому себе или к Вселенной?» Наш ответ таков: требуйте и на этом точка. От себя любимого, от своего я и Вселенной тоже. Отовсюду. «Я требую, чтобы это изменилось, немедленно».

Выдвижение требования – это первый шаг. Затем вам нужно спросить: «Что нужно для того, чтобы … появилось в моей жизни?» или «Что нужно для того, чтобы это изменилось?» Вопрос открывает двери к видению разных возможностей. Когда вы это делаете, все налаживается, начинают проявляться возможности. Деньги к вам будут приходить из самых неожиданных источников.

Заставьте Вселенную работать на ваше благо. Вас беспокоит финансовые потрясения, которые творится сейчас в мире? Вы не можете понять, что нужно делать и как с этим справиться? Вы не обязаны являться пассивной жертвой тяжелых экономических времен. Вам нужно выдвинуть требование. Скажите: «Знаете что? Хватит, надоело быть следствием этой финансовой чепухи, которая ведет к стрессу и толкает людей к суициду. Моя жизнь изменится. Я поменяю эти точки зрения, чтобы моя жизнь стала иной». Поступая так, вы отправляете и Вселенную и свое сознание работать по вашему поручению, чтобы вы смогли изменить свою жизнь. Вам не нужно прямо сейчас знать, как провести эти изменения. Вы просто должны затребовать: «Это изменится», после чего уже появятся варианты того, «как» это изменится. Но пока вы не выступите с таким требованием, варианты «как» могут так и не появиться, потому что вы слишком заняты, следуя идее, что ваша денежная ситуация измениться не может.

Что вы не требуете от себя, что если бы вы это от себя затребовали, реализовалось бы в вашей жизни в виде слишком больших денег? Все, что не позволяет этому проявиться, согласны ли вы это разрушить и рассоздать? **«РАЙТ, РОНГ, ГУД, БЭД, ПОК, ПОД, ОЛ НАЙН, ШОРТС, БОЙЗ ЭНД БЕЙОНДЗ»**

Что вы не требуете от своего бизнеса, что если бы вы это затребовали, реализовалось бы в виде слишком большой легкости и слишком большого числа возможностей? Все, что не позволяет этому проявиться, согласны ли вы это разрушить и рассоздать? **«РАЙТ, РОНГ, ГУД, БЭД, ПОК, ПОД, ОЛ НАЙН, ШОРТС, БОЙЗ ЭНД БЕЙОНДЗ»**

Моя жизнь примерно такова. Поскольку мы с Дэйном используем инструменты, описанные выше, все, что мы просим, у нас появляется. В последнее время я просил инкрустированный голландский стол с надстроенной полкой. Я решил, что заменю один предмет мебели в своей спальне на такой стол. Тот старый предмет мебели готов уйти из моей жизни. Почему пришла его пора уходить, я не имею ни малейшего представления, но он уже готов. Я сказал: «Хочешь уйти? Я тебя не отпускаю, пока ты не найдешь себе замену. Тебе нужно найти мне голландский стол с инкрустациями по очень хорошей цене. А пока это не произошло, ты остаешься со мной». В один прекрасный день я зайду куда-нибудь и там наткнусь на инкрустированный голландский стол по приемлемой цене и скажу: «Беру».

Недавно мы с Дэйном искали напольный ковер в наш офис. У нас там был небольшой ковер, но он туда не очень подходил, и нам захотелось приобрести ковер большего размера, чтобы он закрывал весь пол. Мы рассчитали, что нам нужен ковер размером девять на двенадцать футов. Прошло дня три, мы ехали по улице и увидели ковер, выставленный на обочине рядом со старым диваном. Они предлагались бесплатно любому, кто хотел бы их забрать.

«Красивый ковер», - сказал я. И мы его взяли, почистили и положили на пол в офисе. Он хорошо смотрелся. Через пару дней к нам в офис зашел художник. «Ух-ты! Это тибетский ковер. Я и не думал, что их делают в таком размере». Здорово! Так что теперь у нас в офисе есть гигантский тибетский ковер, который достался нам бесплатно. У нас не было желания заполучить особый тибетский ковер, мы просто хотели ковер подходящего цвета, размера и качества. Нам понравилось, что он был такой толстый и мягкий. Предназначение вещей в том, чтобы улучшать нашу жизнь. То, что вы хотите, появится в вашей жизни, если вы готовы попросить Вселенную показать вам возможности. Вы готовы это сделать?

Даже если пять секунд назад вы не были готовы это сделать, появилось ли у вас такое желание сейчас? Что, если бы вы прочли историю про ковер и сказали себе: «Моя жизнь может быть похожа на эту историю? Пусть у меня так и будет. У меня будет жизнь, от которой я действительно буду получать удовольствие».

Существует процесс, который вы можете использовать, чтобы помочь выработать такую точку зрения. Вам нужно будет повторять его тридцать раз в день на протяжении последующих шести месяцев.

Какой генерирующей энергией, пространством и сознанием я могу быть, что бы позволило мне быть энергией владения и накопления денег, которой я поистине являюсь? Все, что не позволяет этому проявиться, согласны ли вы это разрушить и рассоздать? **«РАЙТ, РОНГ, ГУД, БЭД, ПОК, ПОД, ОЛ НАЙН, ШОРТС, БОЙЗ ЭНД БЕЙОНДЗ»**

ГЛАВА 6
Третий элемент генерирования богатства

Просвещайте Себя О Деньгах И Финансах

Если вы хотите создать финансовую реальность, о которой вы мечтаете, чрезвычайно важно пополнять свои знания о деньгах и финансах. Большинство из нас не учили ничему о деньгах, за исключением одной истины - нужно много и тяжело работать и ещё никому не рассказывать о своих денежных делах. Никто вас не учит тому, как обращаться с деньгами. В школах вас этому не учат, дома в семье вас тоже не учат обращению с деньгами. Вам везет, если вас научат держать в балансе ваш счет. Некоторые даже этого не умеют. Они исходят из приблизительных данных: «У меня в банке лежит примерно энная сумма денег». А потом, когда им возвращают их чек в связи с отсутствием средств на счету, они восклицают: «Как же это произошло?»

Существуют три четкие и важные составляющие части самообразования в финансовых вопросах. Первая - важно избавиться от ложной информации, от этой груды хлама, которого вы набрались от других. Вторая - нужно выяснить, сколько у вас имеется денег в наличии, каков размер ваших долгов, сколько вы тратите и сколько денег вам нужно генерировать в месяц. Третья -получить информацию, которая вам необходима для эффективного функционирования с деньгами в вашей жизни.

Собрание ОЛИВН Или Кучи Мусора, Которые вы Переняли У Других:

О - Кучи ослиной глупости и упрямства, которые вы переняли у других

Л - Кучи ложного и ошибочного мусора, которые вы переняли у других

И - Кучи идиотского и дурацкого мусора, которые вы переняли у других

В - Кучи вредного и неприятного мусора, которые вы переняли у других

Н - Кучи непригодного и бесполезного мусора, которые вы переняли у других

Ваши родители рассказывали вам, как создавать и генерировать много денег? Их советы включали в себя утверждения типа «много работай и экономь» или «покупай только самое дешевое»? Это обычно максимально полное финансовое образование, которые получают дети. Знаниями это не назовешь. Это фиксирование определенных точек зрения во Вселенной ребенка, таким образом дети приобретают такие же взгляды, как и их родители. Смысл здесь заключается в том, чтобы заставить детей вырасти и стать точно такими же, как родители.

Когда я был маленьким, моя мама любила говорить мне и всем, кто в тот момент находился поблизости, что у меня никогда не будет денег, потому что я был слишком щедрый: «У Гэри никогда не будет денег – он всегда раздает все свои деньги. Он просто не знает, как их удержать; он слишком щедрый». Разве я стал из-за этого считать, что быть щедрым неправильно? Нет, я был убежден, что однажды я докажу ей, что она была не права. Но это у меня такой характер. Я такой несносный и беспокойный; мне нравится делать наоборот, чем люди говорят я поступлю. А ваши родители пытались внушить вам правильные с их точки зрения взгляды на экономическую информацию? Ещё одна «жемчужина» моей семьи: «Если мы лишим тебя того, что тебе очень хочется, то ты научишься ценить вещи». Прежде чем перенимать собрания ОЛИВН своих родителей, посмотрите на их жизнь. Вы пожелали бы такую жизнь себе? Если нет, то вам лучше избавиться от их точек зрения!

Собрания ОЛИВН принимают различные формы. Если, например, вы выросли среди представителей низших классов, то знаете, что вам не позволено иметь деньги. Если вы выросли среди среднего класса, то знаете, что если много работать и сильно экономить, то, возможно, у вас будет немного денег. А когда вы выросли среди представителей высшего класса, то знаете, что если не будете проявлять осторожность, то все потеряете. И вне зависимости от того, где вы выросли, вы научились не говорить о деньгах. Это секрет!

У нас есть знакомый, который вырос в богатом еврейском районе. Его окружали только евреи, хотя его собственная семья была итальянские католики из среднего класса. Он перенял точку зрения, что только евреи могут разбогатеть и не мог себе представить еврея без денег. И поскольку сам он евреем не был, то для него было очевидно, что уж он-то богатым не будет никогда.

Отец одного моего друга был изобретателем. Он просто обожал изобретать новые вещи. Он зарабатывал кучу денег на очередном изобретении, а затем все раздавал. Потом он опять что-нибудь изобретал. Его семья жила один год в роскошном поместье, а на следующий год – в жалком домишке. Через год они опять переезжали в поместье, а потом опять обратно. Таков был их цикл жизни. Мой друг вырос с представлением, что в жизни можно иметь либо все, либо ничего. К сожалению, его отец внезапно скончался сразу после того, как он даром отдал свой десятимиллионный бизнес. Снова провал, а потому у семьи опять не стало денег, снова пришли голодные времена.

Еще одна наша знакомая рассказала, что когда она училась в аспирантуре, то прониклась буддистской идеей об отсутствии привязанностей, а также марксистскими взглядами о том, что мы все должны быть равны и потребительское общество является причиной всех бед. А теперь она задумывается о том, как ее решения в отношении денег повлияли на нынешнюю финансовую ситуацию.

Помимо всего этого существуют такие кучи мусора, которые мы с раннего детства подбираем на энергетическом уровне. Например, у многих из нас родители не могли в молодости похвастаться финансовыми успехами, т.е. как раз тогда, когда на свет появились мы. Если к вам это тоже относится, тогда с момента своего появления на свет до примерно двух лет, то есть в то время, когда вы еще не осознавали границу между собой и своими родителями, ваша семья испытывала финансовые трудности. Дело в том, что в детском возрасте вы все обладаете способностями ясновидения. Вы улавливаете вибрации от происходящего вокруг, и если окружающие борются с трудностями или испытывают тяжелые времена, то мы тоже начинаем воспринимать жизнь как борьбу. К сожалению, многие из нас потом переносят такое восприятие на свою собственную жизнь. Мы продолжаем ту же финансовую борьбу, которую вели наши родители, и поддерживаем те же ограничения, которые были у них, когда мы были еще совсем маленькими.

Это все - собирания ОЛИВН.

Что вам рассказывали ваши родители по поводу того, как создавать и генерировать много денег? Все собирания ОЛИВН, которые вы переняли у своих родителей, согласны ли вы это разрушить и рассоздать? **«РАЙТ, РОНГ, ГУД, БЭД, ПОК, ПОД, ОЛ НАЙН, ШОРТС, БОЙЗ ЭНД БЕЙОНДЗ»**

Все собирания ОЛИВН, которые вы переняли у своих родителей, из своей религии, у своих соседей или представителей вашего социально-го класса, согласны ли вы это разрушить и рассоздать? **«РАЙТ, РОНГ, ГУД, БЭД, ПОК, ПОД, ОЛ НАЙН, ШОРТС, БОЙЗ ЭНД БЕЙОНДЗ»**

Ваши Личные Финансы

Знания о деньгах не приходят во время чтения финансовых разделов в газетах. Большинство экономических теорий основаны на идеях экономистов о потреблении и долге, и то, чего они в основном касаются, это как поддержать потребление, как стимулировать объемы потребления, чтобы экономика продолжала функционировать. Вам нужно узнать, что означает обладать деньгами, а не как существовать в пределах спроса и предложения экономической теории, которым посвящены страницы газет. Это не связано с самобразованием в вопросах денег, это учит вас только тому, как занять очередь к корыту среди других овец, где их достаточно накормят.

Мы предлагаем вам воспользоваться другим подходом к получению знаний. Первое, что вам нужно сделать, это выяснить, сколько у вас имеется денег в наличии, каков размер ваших задолженностей, сколько вы тратите и сколько денег вам нужно генерировать каждый месяц.

Сколько у вас денег? Займитесь своими подсчетами, чтобы точно знать, сколько у вас денег. Всегда будьте в курсе своей финансовой ситуации.

Каков размер вашего чистого капитала? Какова ценность ваших активов? Вам желательно иметь определенные активы, поскольку они являются фундаментом вашего богатства. Пока вы не станете владеть вещами, имеющими существенную ценность в реалиях других людей, у вас не будет базы для так называемого чистого капитала. Чистый капитал получается при вычете размера финансовых обязательств из суммы стоимости всех объектов собственности. Показатели в колонке активов должны быть больше величины денежных обязательств. В противном случае, у вас отсутствие баланса и это придется поменять. Суммируйте стоимость всего, чем вы владеете. Вам необходимо иметь представление о том, сколько у вас денег в наличии и является ли эта сумма для вас достаточной. Некоторые люди счастливы, не имея практически ничего. Они довольны тем, что у них есть дом и машина, за которые они выплачивают кредит. Они чувствуют себя спокойно, т.к. у них есть крыша над головой и никто не может их выставить из собственного дома или повысить арендную плату. Они никогда не задавались вопросом, что это, активы или финансовые обязательства. Но вам об этом задуматься необходимо.

Многие опасаются, что если займутся изучением личного финансового положения, то это может привести их в состояние такого ужаса, что они войдут в ступор и ситуация только усугубится. У таких людей нет чувства осознанности. Они отказываются осознать свою денежную ситуацию. Но как только вы узнаете истинное положение вещей, тогда вы способны это изменить. Если вы хотите попасть в Токио, сначала вам надо понять, где вы находитесь: в Сингапуре или Монтане. Вам нужно знать, где вы находитесь, чтобы понять, в каком направлении двигаться.

Выплачиваете ли вы кредит за дом? Сколько стоит ваш дом, если бы вам пришлось продать его сегодня? Какой размер составляет непогашенная задолженность? Если бы вам пришлось его продать, остались ли бы у вас деньги после выплаты комиссионных риэлторам и оплаты других расходов, связанных с продажей? Оплачиваете ли вы кредит за машину? Возможно вы скажете: «О, у меня отличная машина» и это замечательно, за исключением того, что ценность этой машины падает с каждым годом, о чем вам следует знать. Ваша задолженность по этой машине падает с такой же скоростью, как и ее ценность? В большинстве случаев, только в течение последних двух лет пятилетнего договора о кредите на машину, вы начинаете выплачивать основную сумму долга. До этого времени вы выплачиваете банковский процент. Вам нужно трезво взглянуть и оценить эти вещи.

Какова ценность других предметов, которыми вы владеете? Я вкладываю много денег в антиквариат, потому что мне это нравится, эти вещи приносят мне огромное удовольствие. Если у меня наступает сложный финансовый момент, я обхожу свой дом и подсчитываю стоимость всего, чем я владею и что я могу продать минимум за половину того, что заплатил сам. После основательных подсчетов я успокаиваюсь и говорю себе: «Ничего, все нормально!». Я знаю, что у меня всего достаточно.

Радость, которую приносят деньги, связана не столько с их тратой, сколько с тем, что все окружающее вас имеет свою существенную ценность. Это является частью самообразования в сфере денег. Если вас интересует изобразительное искусство, окружите себя хорошими экземплярами. Начните получать знания о том, что такое хорошая живопись, какова ее стоимость и начинайте коллекционировать. Окружите себя вещами, которые имеют ту же эстетическую вибрацию, что и вы.

Сколько денег вам необходимо на проживание в месяц? Когда мы говорим, что вам следует заняться самообразованием, мы не подразумеваем прослушивание лекций о том, как составлять бюджет. Мы не утверждаем, что бюджет не нужен. Жить в соответствии с бюджетом - это хорошая идея, но какое это имеет отношение к генерированию денег? Вам нужен бюджет лишь для того, чтобы знать какую сумму денег вам нужно генерировать. Составление бюджета не помогает вам творить свою жизнь, но зато способствует добавлению определенного контекста к тому, что вы имеете. Вам не стоит довольствоваться исключительно тем, что у вас уже есть. Вам нужно творить жизнь, расширять ее и стремиться к другим высотам. Видите разницу? В любом случае, вам придется сесть и расписать, сколько вам необходимо денег на проживание в месяц. Это арендная плата за квартиру, счета за коммунальные услуги, бензин, одежда, расходы на развлечения и прочие регулярные траты. Прибавьте к этому десять процентов, которые вы будете выделять в Церковь Имени Себя.

Если у вас есть супруг или супруга, вам придется заняться этим или вдвоем или каждому по отдельности. Если вы будете вести расчеты отдельно, то вам следует спросить: «Зарабатывает ли мой муж/жена деньги, которые ему/ей нужны на проживание в месяц или мне приходится его/ее финансово поддерживать?» В этом случае еще приплюсуйте ту сумму, которой вы поддерживаете свою половину.

Одна из моих бывших жен умудрялась тратить каждый цент еще до того, как он попадал к нам в руки. Я разделил наши финансы, но периодически она продолжала мне звонить с просьбами: «У тебя не найдется лишних 900 долларов? или 9 000 долларов? Банк вернул чек в связи с недостатком средств на счету и мне нужно его погасить». Во всем всегда был виноват банк, а не она сама.

Я понял, что мне необходимо иметь энную сумму на своем счету, чтобы ежемесячно покрывать ее возвращенные банком чеки. Бывали времена, когда мы тратили от 1 200 до 3 000 долларов в год на штрафы за возвращенные банком чеки. Это как раз пример случая, когда вам приходится выдвинуть требование. Когда вы доходите до точки, где вынуждены сказать себе: «Это надо менять», все начинает меняться. В этот момент вы не знаете, каким образом будут происходить перемены и это не важно. Сначала вы выдвигаете требование, а затем появляется «как». «Хватит, довольно, я поменяю эту часть своей жизни. Я не собираюсь больше выбрасывать свои деньги на ветер».

Определение сумм, необходимых вам на проживание, в месяц, позволяет вам увидеть, на что вы их тратите. Представим, что ежемесячно вы тратите 8 000 долларов на одежду. Вы можете спросить себя: «Неужели мне каждый месяц нужна новая одежда на 8 000 долларов?» Если ответ отрицательный, задайте себе следующий вопрос: «Что и как я могу изменить, чтобы у меня сократились выплаты, уменьшился денежный отток, а доход увеличился?»

Меня однажды спросили: «Как можно жить в изобилии, не расходуя деньги?» Жизнь в изобилии не означает отсутствие трат, она подразумевает, что вы отдаете себе отчет в том, на что вы хотите потратить деньги, как вы это делаете и что вы из этого получаете. Именно поэтому мы просим вас выяснить, сколько денег вам ежемесячно необходимо на жизнь.

Мои деньги и его/ее деньги.

Когда мы заводим речь о трате денег, люди, живущие в паре, часто спрашивают нас про «свои деньги» и «деньги партнера». Иногда они чувствуют себя привязанными к своей половине и неспособны самостоятельно принимать решения, касающиеся денежных вопросов. Каждый раз, когда им нужно потратить деньги, им приходиться думать о втором человеке, не будет ли он/она возражать против их решения, что приводит к ощущению некомфорта. Мы всем рекомендуем открывать отдельные банковские счета в дополнение к совместным счетам, чтобы иметь свободу выбора, хотя для некоторых это не так легко сделать. Действительно, если вы состоите в отношениях и совместно ведете свои финансовые дела, вам необходимо считаться с другим человеком.

В большинстве случаев при хороших крепких отношениях достаточно всего лишь поговорить со своим партнером и сказать ему следующее: «Слушай, я тут нашел одну вещь, которую мне бы очень хотелось иметь. Ты не возражаешь, если я потрачу энную сумму на ее приобретение?» И в большинстве случаев вторая половина скажет «да». Для человека важно, что бы вы делились своими желаниями и считались с чужими чувствами.

Когда я был женат, моя жена, бывало, тратила по 2 000 долларов каждые выходные на одежду. Она покупала одежду мне, детям и себе. Она никогда не спрашивала, не возражаем ли мы, она просто поступала с деньгами так, как ей этого хотелось и это стало частью того, что уничтожило наши отношения. Она никогда не включала меня в процесс принятия решений о деньгах.

Я переживал о том, какие расходы моей жены мне придется покрывать, что ей нужно и что будет необходимо детям. Я знал, что было нужно моим сотрудникам, но никогда не принимал в расчет себя. Я никогда не тратил деньги на себя. Почему-то мне это казалось неправильным. Такое нежелание тратить на себя деньги называется «долг перед самим собой»; когда вы так поступаете, вы обесцениваете самого себя. А в отношениях этого делать не стоит. И не спешите делать выводы до того, как начать разговор со своим партнером: «Он/она мне не позволит потратить такую сумму, поэтому я не могу иметь эту вещь». Дело не в том, достанется ли вам эта вещь или нет. Важно, чтобы вы учитывали точку зрения вашего партнера. Вам просто стоит сказать: «Слушай, я вот тут думаю... Ты не возражаешь?» Скорее всего, ваш супруг/супруга захочет приобрести эту вещь для вас. Не снимайте самого себя со счетов и не поступайте так со своей второй половиной. Убедитесь, что эта покупка действительно приведет к расширению вашей жизни и у вас есть достаточно средств, чтобы за нее расплатиться, не создавая финансовых обязательств. Все расходы должны в какой-то мере приводить к расширению вашей жизни, а не сжимать ее.

Составьте список всего того, на что вы тратите деньги. Многие буквально выбрасывают деньги на ветер, они поступают самым странным образом. Они вообще не пользуются своими деньгами. Вы тоже так поступаете? Если вы запишите все, на что вы тратите деньги в течение недели или месяца, возможно у вас возникнет новое осознание того, как вы поступаете с деньгами. Может вы тратите 3 доллара на кофе, а потом даете ему остыть и выбрасываете стакан после трех глотков? Вы покупаете пончик, который даже не хотели? Вы именно так желаете поступать со своими деньгами? Подобные траты даже не основываются на ваших желаниях и они не приносят вам ни удовлетворения, ни удовольствия.

Если вы действительно хотите получить знания о деньгах, купите книгу Джеррольда Мундиса «Как выбраться из долговой ямы, не попасть в нее снова и жить благополучно». В ней он описывает несколько приемов, которые помогут вам получить четкую картину о том, как вы поступаете с деньгами. Является ли эта книга идеальной? Нет. Но она поможет вам понять, на что вы тратите и как вы тратите, что позволит вам увидеть, куда идут ваши деньги. Вам нужно четко знать, куда идут ваши деньги. Невозможно заявлять: «Я хочу иметь много денег, но ничего не хочу менять в своей жизни».

Сколько денег вам нужно генерировать? Подсчет ежемесячных расходов даст вам представление о том, сколько денег вам нужно генерировать. Некоторые генерируют деньги для получения конкретных вещей. Они заявляют: «Мне нужно вот это» и генерируют деньги, чтобы это получить, но забывают при этом об арендной плате. Потом они спохватываются: «Ой, я забыл про арендную плату» и начинают генерировать деньги на это. Как только у них появляются деньги на арендную плату, они вспоминают, что забыли что-то еще.

Многие не имеют ни малейшего представления о том, какую сумму им нужно генерировать. Возможно, и вы не представляете, чего бы вам хотелось иметь в плане денег. Когда у вас на руках есть обзор всех регулярных ежемесячных трат, включая одежду и все остальное, тогда вы знаете, что вам просить. Большинство не просит помощи у Вселенной в создании их денежных потоков. Вы должны четко знать, что вам необходимо. А потом просить о помощи.

Деньги являются топливом, которое необходимо для работы вашего мотора. Если вашего дохода недостаточно, далеко вам не уехать. Что, по вашему мнению, произойдет, если вы не попросите нужное вам количество «литро-долларов», чтобы попасть туда, куда вы хотите? Ваш мотор заглохнет еще до того, как вы туда доберетесь.

Чтобы что-то получать, вы должны быть готовы попросить. «Просите, и дано будет вам». Это цитата из Библии. Правда это или ложь? Правда. Вам нужно просить. Не будете просить - не будете получать.

Чем мне придется стать, что делать, иметь, создавать и генерировать, чтобы с легкостью иметь энную сумму в месяц? Скажем, вы ежемесячно получаете 10 000 долларов со своего бизнеса и хотите, чтобы ваш доход увеличился. Как это адресовать? Задайте вопрос: «Чем я могу быть, что я могу делать, иметь, создавать и генерировать, что позволило бы энной сумме денег появиться в моей жизни?»

Вы можете изменить способы ведения бизнеса или направление своего бизнеса или что-то в самом бизнесе, чтобы генерировать нужные вам средства.

Когда вы принимаете точку зрения: «Я собираюсь взять эту сумму денег из своего бизнеса», то создаете ограничения. Посмотрите под таким углом: «Сколько денег мне может подарить мой бизнес?», а не «Сколько денег я могу взять из своего бизнеса?»

Как Все Функционирует В Этой Финансовой Реальности?

Третьей частью самообразования касаемо денег и финансов составляют знания о функционировании структур в финансовых реальностях настоящего времени. Вы должны изучить, как работают банки, больницы, страховые компании, налоговая система, кредитные карточки и все остальное.

Когда у вас нет четкого представления о финансах или других вещах в вашей жизни, вы не можете полноценно функционировать. Ощущение непонимания указывает на то, что вы нуждаетесь в большей информации. Наличие достаточной информации – правильной информации – помогает вести себя осознанно во всех сферах жизни. Это то, что заставляет вещи работать на вас. С деньгами точно такая же ситуация. Когда вы что-то не понимаете в определенной сфере жизни, это означает, что либо у вас нет достаточной информации, либо у вас нет правильной информации. Если я чувствую себя неуверенно по какому-либо поводу, я звоню юристу, врачу, бухгалтеру, индейскому вождю или кому-угодно, кто может дать необходимую мне информацию. Именно так вы можете функционировать полноценно, ведь каждый раз, когда что-то не так, вы это знаете. Когда вы чувствуете, что что-то не ладится или у вас возникает путаница в голове, задайте вопрос: «Какая мне нужна информация?» и «Кого мне нужно об этом спросить?»

Кредитные карточки

Очень важно научиться эффективному обращению с кредитными карточками. Вы должны быть в состоянии оплатить все ежемесячные расходы, сделанные по кредитной карте. Вы должны располагать достаточным количеством денег на расчетном счету, чтобы выплатить кредит в течение тридцати или максимум девяноста дней. Иначе ваш поход в ресторан, который стоил вам 40 долларов, при минимальной выплате по кредитной карте обойдется вам в 200 долларов к тому времени, когда вы закончите выплачивать проценты банку.

В настоящее время система пользования кредитными картами организована таким образом, что при опоздании с выплатами на два дня, ставка кредитного процента может быть поднята до 32,5%. Внимательно читайте каждый отчет о выплатах по кредитной карте, чтобы иметь ясное представление о том, сколько вы потратили и каков размер процента по кредиту, потому что его вам могут увеличить. Если вы поймаете их на повышении ставки, они могут ее снизить до 28 процентов. Самое главное для вас - это выплатить кредитные карты, и по-возможности, как можно скорее. Сделайте это своим правилом: никогда не покупать в кредит вещи, стоимость которых превышает сумму, которую вы имеете в настоящее время в наличии. Так поступают люди, у которых есть деньги.

Я пользуюсь кредитными картами для оплаты расходов, связанных с бизнесом. Когда же мне хочется купить «игрушки», антиквариат или ювелирные изделия, я плачу наличными. Речь не о том, пользоваться или не пользоваться кредитными картами. Речь о том, как разумно пользоваться кредитными картами и наличными деньгами.

Долги по кредитным картам

Если у вас есть задолженность по кредитной карте, вам нужно ее погасить. Посмотрите на сумму кредита, которую вы должны, и задайте вопрос: «Сколько денег мне нужно генерировать в месяц, чтобы выплатить эту сумму за год?» Неважно, сколько вы должны. Когда вы задаете такой вопрос, зачастую оказывается, что сумма не так уж и велика. Посчитайте, сколько вы зарабатываете в час, и определите, сколько часов в месяц вам нужно будет дополнительно работать, чтобы выплатить задолженность по кредитной карте в течение года. Если ваша зарплата в час невелика, спросите: «Что я могу добавить в свою жизнь, что принесет мне еще больше денег?»

Если у вас долги по нескольким картам, платите наименьшую сумму по карте с наименьшей ставкой и крупнейшую сумму по кредитной карте с наибольшей ставкой. Как только вы разберетесь с выплатами по карте с наибольшим процентом, откажитесь от нее или порежьте саму карту, но оставьте счет открытым, т.к. это может быть выгодно для вашей кредитной истории и индекса FICO. Выберите наилучший для себя вариант. Спросите: «Будет ли лучше оставить этот счет открытым? Будет ли более выгодным оставить этот счет открытым? Принесет ли мне больше денег оставить этот счет открытым? Или я получу больше денег, если я закрою этот счет?»

Если ваш долг по кредитным картам составляет больше 15 000 или 20 000 долларов, возможно, вам следует распределить выплаты на два года. Посчитайте, что для этого потребуется и сколько вам нужно будет зарабатывать, чтобы выплатить задолженность за два года. Между тем, помните, что кредитные компании могут менять условия кредитного договора в любое время. Некоторые из них отправляют извещения об изменениях условий договоренности, в которых указано, что они собираются повысить ставку процента по кредиту, если вы в письменном виде от этого не откажетесь. Многие люди вообще не читают корреспонденцию, которая приходит от кредитных компаний, поэтому у них даже нет представления о том, что их процентная ставка была повышена. А когда они потом звонят с вопросами, представитель компании им отвечает: «Вам было отправлено извещение и вы не выполнили требования, позволяющие оставить ваш ссудный процент на прежнем низком уровне, так что вам не повезло». Компании могут также изменить размер минимальных выплат или повысить кредитный процент, если вы расплатитесь картой за новую покупку, поэтому очень важно внимательно читать условия договора по предоставлению услуг в тех буклетах, которые вам присылают.

Помните, что государство не ратует за ваши интересы; оно отменило закон против ростовщичества, что позволяет теперь кредитным компаниям устанавливать любой размер процентной ставки. Такие компании превратились в новую мафию. Они поумнели, сделали свою деятельность легальной. И напоследок, если вам нужна более конкретная помощь по выплате долгов по кредитным картам, приобретите книгу Джеррольда Мундиса «Как выбраться из долговой ямы, не попасть в нее снова и жить благополучно».

Налоговая система

Некоторые люди пытаются избежать уплаты налогов. Кто-то даже значительно занижает свой доход, чтобы не платить налоги. Это не лучший подход. Не следует избегать выплаты налогов, наоборот, нужно использовать налоговую систему для собственной выгоды. Налоговая система была задумана для того, чтобы люди, у которых есть деньги, могли выкрутиться и налоги не платить. Заставьте эту систему работать на вас. Чтобы это сделать, вам, разумеется, нужно будет получить знания о том, как она устроена. Зачем оставаться бедным и пытаться избежать уплаты, когда вы можете стать богатым и не платить совсем?

Я работал с одной женщиной, которая имела большие доходы, но была безграмотна в налоговых вопросах. Она даже не знала, что выплаты по ипотеке подлежат списанию налогов. Она не знала, что оплата труда ее наемным работникам не облагается налогом – она могла забирать деньги из кармана дяди Сэма, а не отдавать из своего. Каждый раз, когда ей приходилось кому-то платить или выписывать чек за ипотеку, ей казалось, что на нее напала нищета. Она не знала, как налоговая система может работать в ее пользу, в результате она платила налог в размере тридцати восьми процентов от своего дохода. Не совершайте подобных ошибок. Выясните, как работает налоговая система, и используйте ее с выгодой для себя.

Больницы и страховые компании

Вам нужно изучить, как работают больницы, страховые компании и другие службы, и окажутся ли они вам полезны, когда вы будете нуждаться в их услугах. Вы считаете, что можете положиться на страховые компании во времена кризиса? Ну да, конечно. Они очень хорошо о вас позаботятся. Если вы в это верите, рекомендую пообщаться с жертвами последствий урагана Катрина. Вам известно, что они сделали после урагана? Они предложили людям компенсацию в размере от 10 до 25 центов с каждого доллара от стоимости их домов. За двадцать пять центов с доллара новый дом не построишь. Люди отказались и пострадавшим пришлось обратиться в суд. Так как возможности подать групповой иск не было, каждому в индивидуальном порядке пришлось явиться в суд. Рассмотрение исков по последствиям урагана Катрина растянется на сто последующих лет; а между тем страховые компании увеличили стоимость страхования в три раза во всех регионах, где существует опасность ураганов. Они заработали полтора миллиарда долларов в тот год, когда произошел ураган Катрина, а выплат в сумме 700 миллионов долларов по искам против них они так и не сделали. Почему страховые компании занимаются бизнесом? Чтобы зарабатывать деньги.

И откуда вы знаете, что страховая компания будет рядом, когда вы будете готовы получить с них деньги? Вы этого знать не можете. Они могут просто закрыться. Это именно то, что они и сделали после Катрины. Если вы живете в Калифорнии и думаете, что вы покрыты на случай гигантского землетрясения, предлагаю вам подумать хорошенько. Вам нужно реалистично смотреть на вещи. Страховые компании занимаются бизнесом; они им занимаются с целью зарабатывания денег. Они не хотят вам платить. Они не хотят о вас заботиться. Они не действуют в ваших интересах. Они хотят обвести вас вокруг пальца, чтобы потом заработать на вас деньги.

Я на данный момент делаю выплаты по долгосрочной медицинской страховке на имя моей бывшей жены, это одно из условий развода, на которое я дал согласие. Обходится мне это в 1 500 долларов в квартал. То есть 6 000 долларов в год. Ей сейчас шестьдесят лет. Если она не начнет пользоваться этой страховкой к 70 годам, к тому времени я выплачу 60 000 долларов. На эту сумму можно было бы в течение года продержать одного человека в доме престарелых. Большинство пациентов содержатся в таких учреждениях примерно полтора - два года. Информация такого рода мне и нужна, чтобы я мог принимать верные решения. Вы должны быть готовы заняться изучением подобных вопросов и решить, что подойдет именно вам. Вы должны быть подготовлены и все четко сознавать.

Банки и Федеральная корпорация по страхованию вкладов

Вы знаете, что когда закрывается федерально-застрахованный банк, у правительства есть семь лет, чтобы вернуть вам ваши деньги и ему не нужно платить по ним проценты? Вам заплатят только ту сумму, которую вы положили в банк. Поэтому они называют это страхованием вкладов, а не страхованием федеральных средств. И все, что хранится в индивидуальной сейфовой ячейке, переходит во владение банка.

Если вы хотите приобрести золото, покупайте и носите его с собой или храните дома. Если при закрытии банка оно будет находиться в банковской ячейке, правительство может изъять деньги, как они это уже сделали в 1930 г. и заявить: «Все золото должно быть передано обратно государству, а мы вам дадим за него энную сумму долларов». Такое положение существует в законе США 2001 года; они имеют право изъять все драгоценные металлы, помимо монет выпуска ранее 1933 года. Золотые или серебряные монеты, представляющие собой нумизматическую ценность, они забрать из вашей коллекции не могут, но все другие драгоценные металлы вам тоже стоит хранить при себе.

> Все собрания ОЛИВН, касающиеся банков, страховых компаний, правительства, а также того, как эти добрые люди собираются о вас позаботиться и удостовериться, что к вам порядочно отнеслись, которые вы переняли у других, согласны ли вы все это разрушить и рассоздать? **«РАЙТ, РОНГ, ГУД, БЭД, ПОК, ПОД, ОЛ НАЙН, ШОРТС, БОЙЗ ЭНД БЕЙОНДЗ»**

Инвестирование

Вам нужно получить четкое представление о том, как работают инвестиционные механизмы. Представим, что вам достались деньги в наследство. Вы можете их зарыть в яму на заднем дворе или инвестировать. После смерти моей матери я получил завещание, и моя бывшая жена решила, что хранение денег в форме акций обеспечит их рост. Парень, с помощью которого мы инвестировали деньги, оказался мошенником: все наши средства пропали. Я изначально не хотел вкладывать деньги в акции. Я хотел вложить их в золото, но позволил ей уговорить меня на акции. Разумно ли я поступил? Нет, я повел себя глупо. Я не прислушивался к самому себе, а поддался тому, что было нужно ей, что она ценила и что она хотела. Мне бы тогда следовало спросить деньги: «Где вас разместить, чтобы обеспечить ваш рост?»

Твердая валюта

У вас также должно быть желание получать знания о твердых валютах. Твердая валюта – это то, что можно практически моментально конвертировать в наличные деньги. Антиквариат, который я покупаю, - это тоже твердая валюта. Я могу продать любой имеющийся у меня предмет завтра за, по крайней мере, половину той стоимости, которую я заплатил при покупке. Если я покупал десять лет назад, моя выручка увеличится в два или три раза.

Приобретайте вещи, которые имеют подлинную ценность. Дэйн вырос в доме, обставленном стандартными наборами мебели из Levitz. Когда он впервые попал в мой заполненный антиквариатом дом, осмотревшись, он подумал: «Все забито старыми вещами, которые абсолютно не сочетаются». Его точка зрения заключалась в том, что если мебель не из Ikea или Levitz, значит, она не имеет ценности. По мере того, как он начал получать знания о том, что ценно, он осознал, что мое «старье» было не только красивым: оно также стоило и много денег. Он понял, что мой антиквариат – это активы. Они имеют подлинную ценность. И их можно было бы продать за приличные деньги, в отличие от вещей в его семье, где самым дорогим предметом в доме была электрическая плита или холодильник.

Желательно, чтобы вещи, которые вы приобретаете, имели ценность. Это еще один аспект обладания деньгами. Все это - примеры причин, по которым вы должны заниматься самообразованием и получать знания о том, как работают финансовые механизмы, чтобы вы ясно понимали, что происходит вокруг.

ГЛАВА 7
Четвертый элемент генерирования богатства
Щедрость Духа

Четвертый элемент владения деньгами - это щедрость духа. Щедрость духа - это способ бытия. Это жизнь с чувством радостного генерирования. Одна из важнейших составных, способствующих увеличению щедрости духа - это умение дарить.

Дарение

В большинстве случаев, когда кто-то кому-то что-то дает, в этом присутствует желание получить что-то взамен, в то время как настоящий подарок не подразумевает никаких обязательств. Мы рекомендуем вам делать подарки, не ожидая ничего получить взамен. Не обязательно иметь запрятанные миллионы на банковском счету для того, чтобы заплатить за чей-то обед или сделать кому-то подарок, который сможет кого-то осчастливить или изменить его реальность. Парадокс такого вида дарения, когда вы ничего не ожидаете взамен, заключается в том, что принятие с вашей стороны будет происходить на энергетическом уровне. Ваша жизнь расширяется, когда вы принимаете для себя возможность генерирования чего-то иного в реальности другого человека.

В преддверии Рождества мы с Дэйном обычно перечисляем 500 долларов одной женщине в Мексике, у которой в канун Рождества при попытке угона грузовика убили мужа. У нее на руках двое маленьких сыновей, а зарабатывает она около 50 долларов в месяц или 600 долларов в год. Мы стали пересылать ей деньги каждый год на Рождество при условии, что половину суммы она потратит в Рождество на своих мальчуганов. Другой половиной она вольна распоряжаться как ей угодно, но первая половина должна быть потрачена на детей. Она называет нас "los angeles". В их жизни мы – ангелы, которые устраивают им Рождество. Она нас никогда не видела. Мы тоже ее не встречали и не видели ее сынишек, мы знаем только ее брата. Такие вещи меняют реальность людей в отношении денег. Пятьсот долларов на то, чтобы изменить чью-то реальность. Стоит ли это того? Конечно! Такое дарение сильно меняет наши собственные жизни. Когда мы так поступаем, обратное принятие происходит очень динамично и наша жизнь расширяется. Ее благодарность усиливает наше ощущение благополучия, а мы начинаем ценить нашу способность творить подобные вещи. Дело не в размерах денежных сумм, а в нашей способности их делать. При таком дарении подарки могут быть и большими и маленькими.

Недавно нам с Дэйном при возвращении из Коста-Рики в Лос-Анджелес пришлось воспользоваться автобусом, чтобы добраться до взятой на прокат машины. У нас было пять тяжеленных чемоданов, которые водитель автобуса по прибытии к машине помог нам разгрузить и поместить в автомобиль. Я собирался дать ему 5 долларов в качестве чаевых, по доллару за каждый чемодан, но вместо этого дал 10. Ощущение было такое, словно ему подарили Тадж-Махал. Он был шокирован. Это изменило весь его день просто потому, что кто-то дал ему 10 долларов чаевых. Это был приятный малый со старательным отношением к работе, которая не приносит ему больших денег, но он хотел одарить нас своей заботой. Почему бы нам не отплатить тем же?

Во время ожидания в аэропорту мы заметили женщину, натиравшую обувь. И я предложил довести до блеска и наши туфли. Пока она натирала ботинки, Дэйн спросил женщину: «Как долго вы этим занимаетесь?»

«Ой, года три», - последовал ответ.

«И вам это нравится?» - спросил Дэйн.

«Да, потому что днем я могу работать, а по вечерам ходить в школу медсестер», - ответила она.

«Здорово!» - сказал Дэйн.

Услуги по натирке обуви стоили 4 доллара. Дэйн пошуршал своим кошельком и протянул ей 100 долларов со словами «Это - вам».

Она взглянула на него и словно лишилась дара речи. Это просто взорвало ее Вселенную: «Спасибо огромное! Не знаю даже, что сказать! Со мной такого никогда не случалось. Это удивительно. У меня теперь все будет в порядке!»

Потом он ее обнял и сказал: «Знаете что? Вы сделаете такие большие изменения в этом мире. Из вас получится замечательная медсестра. Не останавливайтесь!»

Это был подарок от чистого сердца, который совершенно искренне потряс ее мир.

Все сводится к тому, что на самом деле есть одна единственная причина, по которой стоит иметь деньги, - это возможность менять реалии других людей. Когда у вас есть деньги, вы можете изменить чей-то мир в считанные секунды. Что происходит, когда вы даете кому-то нечто такое, чего они никак не ожидали или считали, что они этого недостойны? Вы изменяете их реальность. А в чем ценность изменения реальности других людей? Вы демонстрируете им существование других возможностей и, таким образом, способствуете продвижению сознания и всего человечества.

Однажды в Нью-Йорке по пути на обед я заметил парня, который попрошайничал. На ноге у него зияла глубокая рана. «Вы не могли бы меня выручить?» - спросил он. Я достал 50 долларов, положил их в его банку и пошел дальше. Заметив деньги, он сказал: «Благослови вас Господь, сэр!» Он не поднял глаз и так и не посмотрел на меня. Он не видел ни моего лица ни вообще меня, как человека. Все, что он увидел, это 50 долларов в своей банке. Изменения в его энергии произошли огромные. Что интересно, больше я его на том месте не встречал. Можно ли изменить чью-то реальность 50 долларами? Мы и предположить не можем, что нужно для того, чтобы изменить чужую реальность. Размер суммы значения не имеет; важно, что вы преподносите подарок, не ожидая ничего взамен, без потребности в отдаче, а только движимые идеей о том, что вы своим поступком измените реалии другого человека.

Вы так поступаете не потому, что считаете себя лучшим и не думаете, что проявляете щедрость, или что у вас больше денег, чем у остальных. Вы так поступаете потому, что вам от этого становится хорошо, и вы заинтересованы в том, чтобы изменить чью-то реальность.

Несколько лет назад я купил коня. Если бы мне было тридцать пять, он был бы для меня идеален. Он являлся бы воплощением всех моих желаний о скакуне. В мои шестьдесят, этот конь не был для меня идеален, но я все равно на нем гарцевал. Мы с Дэйном частенько выбирались на конные прогулки и я, прежде чем отправиться кататься, обычно прогонял своего красавца, которого звали Плейбой, по кругу манежа. Каждый раз, когда он приближался к Дэйну, он останавливался. Он делал один круг по манежу и останавливался перед Дэйном, потом еще один круг и опять перед ним останавливался. И каждый раз я вынужден был его силком отгонять от Дэйна.

Нам не приходило в голову задаться вопросом, почему он это делает. Мы просто считали это странным.

Однажды мы собрались на прогулку по отдаленной местности. Дэйн стал меня умолять: «Можно мне поехать на Плейбое? Мне так хочется на нем прокатиться. Пожалуйста?»

Плейбой раньше участвовал в скачках. Если пуститься на нем в галоп, он разгоняется, как очертелый, и потом летит со скоростью света, едва касаясь земли. Справиться с ним могут только опытные ездоки.

На тот момент Дэйна нельзя было назвать серьезным наездником, но я подумал: «Ну что в худшем случае с ним может произойти? Ну, упадет и заработает пару переломов. Можно взять с собой мобильный и вызвать вертолет в случае серьезных повреждений, а со всем остальным я могу справиться с помощью процессов по работе с телом, которые у нас есть в «Access». И я согласился.

Дэйн вскочил на Плейбоя, а Плейбой оглянулся на него, говоря взглядом: «Вот это - мой человек».

«Еще чего? Ты - мой конь!» - сказал я.

Дэйн, посмотрел на Плейбоя и стал говорить, как сильно он его любит. Он растрогался до слез. А ведь еще и минуты не прошло с тех пор, как он оседлал коня! Он даже на нем еще никуда не успел проехать. Дэйн, сидя верхом со спущенными поводьями, которые доставали до земли, пустился в легкий галоп. Поводья не были натянуты. Дэйн вообще не контролировал Плейбоя. Было так, словно Дэйн представлял себя верхом на маленькой карусельной лошадке. В моей голове мелькнула мысль: «Пропал парень». И, знаете, что произошло? Вместо привычного разгона и полета, Плейбой перешел на легкий галоп.

Меня озарило: «Это конь Дэйна. Им предназначено быть вместе». Поэтому я сделал Дэйну предложение, от которого он не смог отказаться. Я отдал ему Плейбоя. У Дэйна тогда не водилось денег. И я ему сказал: «У меня для тебя есть подарок. Я отдаю тебе Плейбоя».

По словам Дэйна, его вселенная в тот момент взорвалась. Этот конь был готов быть проданным за 15 000 долларов. По сути, Дэйн получил подарок стоимостью в 15 000 долларов. Это полностью изменило его реальность. Он говорит, что отголоски это события до сих пор звучат в его вселенной. Оно подняло его на такой уровень принятия, существование которого он даже не мог себе представить. Мир вокруг меня продолжает расширяться, потому что я готов расширять реальность других людей. Как бы я ни поступал с деньгами, мои действия всегда направлены на расширение реальности других, а не на улучшение моей собственной. В этом и заключается щедрость духа.

Будьте Благодарны, Когда Подарки Получают Другие

Щедрость духа не только зависит от того, что вы дарите; она также проявляется в готовности позволить другим людям получать что-то в любом аспекте их жизни. Она подразумевает умение радоваться и быть благодарным тогда, когда подарки получают другие, вне зависимости от того, достанется ли что-нибудь при этом вам. Не так давно одна женщина в телефонном разговоре мне сказала: «Я хочу с тобой кое-чем поделиться, потому что больше на свете нет никого другого, кто бы смог за меня порадоваться. Двадцать лет назад мой сосед по съемной квартире написал завещание, в котором он оставил свои деньги мне и другим соседям по квартире. После этого он ни разу не менял свое завещание и только что погиб после несчастного случая. В результате завещания, написанного двадцать лет назад, я получила 10 000 долларов».

«Замечательно! Я так за вас рад», ответил я. Я радуюсь, когда другие что-то получают. Я не испытываю зависти. У меня не возникает мысли, что им досталось то, что заслуживал я. Щедрость духа – это умение быть благодарным и испытывать восторг из-за того, что знакомая женщина получила деньги.

А как насчет вас? Испытываете ли вы чувства благодарности и радости, когда что-то достается другим? Или вы создаете выверенные планы и РСРВ, которые предполагают, что если что-то досталось другим, значит оно не досталось вам? Все связанное с этим, согласны ли вы это разрушить и рассоздать? **«РАЙТ, РОНГ, ГУД, БЭД, ПОК, ПОД, ОЛ НАЙН, ШОРТС, БОЙЗ ЭНД БЕЙОНДЗ»**

Если вы понимаете, что внутри вас что-то сжимается, когда другим улыбается фортуна, вы можете отловить в себе этот момент и сказать себе: «Я проявил эгоизм. У меня возникла точка зрения, что если другие получают, значит мне чего-то не досталось». Самое замечательное при этом, что вы можете это осознать, не осуждая себя. Это ваш шанс все изменить. Любая точка зрения может быть изменена. А что бы произошло, если бы вместо того, чтобы себя осуждать, вы решили: «Да, я вел себя эгоистично» или «Я считал себе эгоистом довольно долго в своей жизни. Пришло время это изменить» или «Я был эгоистом. Ведет ли это к ограничениям в моей жизни? Ограничивает ли это деньги, которые я мог бы иметь? Конечно! А что бы было, если бы у меня был более широкий взгляд на вещи, что стало бы генерировать даже больше, чем я бы хотел иметь в своей жизни?»

Те, кто на самом деле имеют деньги, не нуждаются в принижении других. У них нет желания вести себя так, будто они лучше остальных. Многие богатые люди жалуются на свою прислугу. Они не умеют быть благодарными за то, что делают другие. Они «знают», что заслуживают большего, и все вокруг их обманывают, подсовывая им плохой товар. Когда вы по-настоящему хотите иметь деньги, вы благодарны каждому, кто вас чем-то одаривает. Я благодарен официанту, который хорошо выполняет свою работу. Я благодарен горничной, которая хорошо работает. Я благодарен людям, которые ухаживают за нашими лошадьми и прекрасно с этим справляются; поскольку я им благодарен, они тоже благодарны на меня работать. Они всегда стараются увидеть, что еще они могут для меня сделать.

Когда у вас есть деньги, вы испытываете благодарность к людям, которые появляются в вашей жизни, и благодарность за то, что они делают для вас. Но когда вам приходиться добывать деньги, вы предполагаете, что вас хотят как-то обмануть. Получение денег становится для вас более важным, чем обладание деньгами. Видите разницу? Это очень важное различие. Чтобы испытывать благодарность, вам не обязательно обладать деньгами.

Но если вы благодарны, то щедрость духа, которая приходит с благодарностью, начинает генерировать больше денег в вашей жизни.

Будьте Щедры По-Отношению К Себе

Щедрость духа также включает в себя готовность принимать. Щедры ли вы по отношению к себе в своей жизни? Щедрость – это также готовность проявлять доброту к себе так же, как и ко всем окружающим. Мы хотим, чтобы вы добавили новую строку в свою личную Библию: «Блажен дающий, как и принимающий». И дарение и принятие являются благословенными деяниями.

Будьте благодарны за то, что получают другие, но также будьте благодарны за то, что вы сами генерируете, потому что вы гораздо более удивительны, чем это признаете. Жизнь в состоянии благодарности – это один из величайших способов проживания своей жизни с наслаждением, а также увеличения своей способности принимать и быть. Пребывая в состоянии благодарности, вы неизменно попадаете в поток Вселенной, где возможно генерирование. Вы выходите за пределы контекстуальной реальности, за пределы недоумения «Как же я выиграю? Или, наоборот, проиграю?» Благодарность катапультирует вас за пределы всего этого в неконтекстуальную реальность и в осознанность, где как раз находятся вопросы, возможности, выбор и содействие.

Вот три вопроса, при помощи которых вы можете развить большую щедрость духа:

1. Что требуется для того, чтобы я пребывал в истинной щедрости с деньгами, которую я до сих пор не осознавал? Все связанное с этим, согласны ли вы это разрушить и рассоздать? **«РАЙТ, РОНГ, ГУД, БЭД, ПОК, ПОД, ОЛ НАЙН, ШОРТС, БОЙЗ ЭНД БЕЙОНДЗ»**

2. Какой генерирующей энергией, пространством и сознанием я могу быть, что позволит мне пребывать в той истинной щедрости духа при обращении с деньгами, которую я раньше не осознавал? Все связанное с этим, согласны ли вы это разрушить и рассоздать? **«РАЙТ, РОНГ, ГУД, БЭД, ПОК, ПОД, ОЛ НАЙН, ШОРТС, БОЙЗ ЭНД БЕЙОНДЗ»**

3. Все, что удерживает вас от благодарности по-отношению к самому себе, что изменило бы всю вашу финансовую жизнь: все мысли, чувства, эмоции и «нет-секса», которыми вы пользуетесь, чтобы уничтожить, подавить, или убить благодарность, которую вы могли бы к себе испытывать, согласны ли вы все это разрушить и рассоздать? **«РАЙТ, РОНГ, ГУД, БЭД, ПОК, ПОД, ОЛ НАЙН, ШОРТС, БОЙЗ ЭНД БЕЙОНДЗ»**

ДОПОЛНИТЕЛЬНЫЕ ИНСТРУМЕНТЫ, КОТОРЫЕ ВЫ МОЖЕТЕ ИСПОЛЬЗОВАТЬ ДЛЯ ГЕНЕРИРОВАНИЯ ДЕНЕГ

Дополнительные Инструменты, Которые Вы Можете Использовать Для Генерирования Денег

Если Бы Деньги Не Являлись Проблемой, То Что Бы Я Выбрал?

Однажды я отправился вместе с Дэйном искать ему новый факс. Пока он смотрел на все эти аппараты, я у него спросил: «Если бы деньги не являлись проблемой, то что бы ты выбрал?»

Его первой мыслью было: «Если бы деньги не были проблемой, я бы выбрал самый дорогой факс». Он стоял напротив аппарата все-в-одном за 550 долларов. Он глянул на него и заявил: «Вот именно такой. Если бы дело было не в деньгах, я бы выбрал его».

Потом он заметил еще один факс за углом за 150 долларов. Глядя на него, Дэйн понял, что места под его столом не так уж много и дорогой факс за 550 долларов у него в офисе нигде не поместится. Тот, который был поменьше, оказался идеальных размеров. Он бы как раз поместился под столом, как Дэйн и хотел, и у него были все необходимые функции.

> «Ух-ты, я только что сэкономил 400 долларов, задав этот вопрос», - воскликнул он.

Большинство из нас принимают решения о покупках, основываясь на деньгах. Мы говорим: «Этого я себе по деньгам позволить не могу, поэтому расплачусь в кредит» или «Это мне не по карману, поэтому покупать я эту вещь не буду». Мы не спрашиваем себя: «Действительно ли я желаю это иметь?» или «На самом ли деле мне это необходимо в жизни?»

Невозможно улучшить свою жизнь, лишая себя того, что может привести к ее расширению, однако, это не означает, что вам следует перенапрягаться или сорить деньгами. Не всегда стоит выбирать самое лучшее; важно научиться осознавать, что является лучшим для вас при текущих обстоятельствах. Если лучшим выбором, который я могу себе сейчас позволить, будет шампанское «Veuve Clicquot», то я выберу его. И отложу покупку «Dom Pérignon» до лучших времен, когда у меня будет больше денег.

Когда вы задаете этот вопрос: «Если бы деньги не являлись проблемой, то что бы я выбрал?», то убираете деньги как определяющий фактор при формировании вашего выбора. Этот вопрос позволяет вам иначе взглянуть на мир и понять, что бы вам действительно хотелось иметь в вашей жизни.

Большинство людей оценивают вещи исходя из чувства невозможности обладания ими или неспособности за них заплатить. Вы смотрите на вещь, она кажется вам ценной только потому, что вы верите, что она вам не по карману, но вы все равно ее приобретаете. Что происходит, когда вы так поступаете? Через неделю вы забываете о своей покупке. Вы потратили крупную сумму и теперь будете расплачиваться по кредитной карточке.

Рекомендую следующее упражнение. Пойдите в самый дорогой магазин в своем городе, осмотритесь там и допустите, что могли бы иметь любую вещь, если бы действительно это выбрали, даже если бы отложили ее в магазине по договоренности и вечно выплачивали за нее взносы. Потом еще раз посмотрите на товар и подумайте, что же вам действительно хочется иметь.

Даже если сначала вам могло показаться, что вам хочется скупить весь магазин, как только вы начинаете задумываться о том, что же вам на самом деле хочется иметь, вы скорее всего выберете одну единственную вещь, которая вам правда по душе или вообще ничего не выберете. В большинстве случаев вы обнаружите, что вам в магазине не хочется ничего. Вы всего лишь думали, что вам хотелось что-то приобрести потому, что решили, что не можете себе этого позволить, и эта покупка могла бы удовлетворить в вас какую-то нужду.

Представление о том, что покупки могут удовлетворить какую-то вашу нужду, называется магазинной терапией. Сколько выверенных планов и РСРВ у вас имеется, которые утверждают, что магазинная терапия заставляет вас лучше себя чувствовать? Все связанное с этим, согласны ли вы это разрушить и рассоздать? **«РАЙТ, РОНГ, ГУД, БЭД, ПОК, ПОД, ОЛ НАЙН, ШОРТС, БОЙЗ ЭНД БЕЙОНДЗ»**

Или возможно у вас есть выверенные планы о том, что вы не можете иметь, основанные на взглядах других людей. Может быть ваша мать каждый раз, когда вы делали покупку, высказывала свое неодобрение словами типа «и тебе на самом деле все это нужно?».

Сколько у вас имеется выверенных планов, которые основаны на взглядах других людей и которые делают несостоятельным ваш собственный выбор? Все связанное с этим, согласны ли вы это слом разрушить и рассоздать? **«РАЙТ, РОНГ, ГУД, БЭД, ПОК, ПОД, ОЛ НАЙН, ШОРТС, БОЙЗ ЭНД БЕЙОНДЗ»**

Как Может Быть Еще Лучше?

Каждый раз, когда вы находите один цент, монету в 10 центов, доллар, десять долларов или любую другую сумму, большую или маленькую, задавайте вопрос: «А как может быть еще лучше?» Посмотрите на то, что уже имеете и признайте тот факт, что может быть ещё лучше. Если вы скажете: «О, здорово! Смотри, что у меня есть!» или даже «Ух-ты, спасибо, Вселенная, я все получил!» Вселенная ответит: «Хорошо, ты все получил. Тогда и содействовать тебе ни в чем больше не надо». Но когда вы задаете вопрос: «А как может быть еще лучше, чем сейчас?», энергия продолжает двигаться.

У нашей знакомой Симон есть друг - музыкант, который живет в Австралии. Она рассказала ему про то, как пользоваться вопросом «А как может быть еще лучше, чем сейчас?» и после концерта он решил поэкспериментировать с ним во время продажи своих дисков. На следующий день наша знакомая получила смс: «Сработало! После каждого проданного диска я спрашивал «А как может быть еще лучше?» и кто-нибудь подходил и покупал еще один или два диска. В конце концов я распродал все свои диски на концерте».

Пользуйтесь этим вопросом так же и при оплате счетов. Вместо того, чтоб говорить: «О нет! У меня нет достаточной суммы, чтобы оплатить этот счет», каждый раз задавайте вопрос «А как может быть еще лучше?» мы часто встречаем людей, которые набирают почти достаточную сумму, чтобы оплатить счет, а потом говорят: «Ой, нет! Этого все равно недостаточно!» Что при этом происходит? Это останавливает энергию, которую они генерировали. А что бы произошло, если бы они спросили: «А как может быть еще лучше, чем сейчас?» Таким образом они бы пригласили еще больше энергии в свою жизнь.

Одна наша знакомая, молоденькая девушка, рассказала нам, что недавно, когда она сдавала багаж в аэропорту, сотрудник на стойке ей заявил: «Ваш багаж превышает норму по весу на двадцать фунтов. Мне придется с вас взять за это плату».

> В ответ она улыбается и задает вопрос «А как может быть еще лучше?», а потом «А что еще возможно?»

> Служащий в ответ: «Минуточку!» и приводит своего начальника. Начальник смотрит на нашу зна-

комую и говорит: «Ваша сумка на двадцать фунтов тяжелее нормы. Нам придется взять за это с вас плату».

Она его спрашивает: «Хорошо, как может быть еще лучше, чем сейчас?»

Начальник посмотрел на нее и сказал: «Забудьте!» и пропустил сумку без штрафа.

Продолжайте задавать вопрос «Как может быть еще лучше?» Когда вы его используете в ситуациях, которые кажутся вам сложными, то приобретете ясность по поводу того, как можно что-то изменить, а когда вы его используете в хороших ситуациях, начинают происходить самые разнообразные интересные вещи. Вселенная слышит ваши просьбы и дает вам то, о чем вы просите. Но нужно обязательно попросить.

Интересная Точка Зрения

Когда вы стоите на позиции неосуждения, вы сознаете, что являетесь всем и ничего и никого не судите, включая себя. В вашей Вселенной просто не существует осуждения. Лишь полное позволение всего.

Когда вы находитесь в состоянии позволения, вы превращаетесь в камешек в ручейке. Мысли, идеи, убеждения, отношения и чувства приходят и обходят вас, а вы остаетесь тем же камешком в ручье. Принятие отличается от позволения. Если вы практикуете «позволение», то мысли, идеи, убеждения, отношения и чувства приходят и уносят вас в своем потоке. Если вы практикуете «позволение», то вы или соглашаетесь и подстраиваетесь, что есть положительная полярность, или сопротивляетесь и реагируете, то есть создаете отрицательную полярность. В любом случае - вас смывает потоком.

Если же вы находитесь в состоянии принятия, касаемо того, что я говорю, вы можете сказать: «Ну что же, интересная точка зрения. Любопытно, насколько это правда». Вы входите в состояние вопроса, а не реакции. Когда вы начинаете сопротивляться и реагировать или подстраиваться и соглашаться с какими-то точками зрения, то вы создаете ограничения. Позиция «интересная точка зрения» дает вам неограниченный подход.

Каждый раз, когда вы замечаете наличие у вас какой-то точки зрения по какому-либо поводу, скажите: «Какая интересная точка зрения, что у меня есть эта точка зрения». Вы можете считать что-нибудь истинным и настоящим, но это будет всего лишь точка зрения. Она не является настоящей. Это вы делаете ее настоящей и правильной. Своим суждением вы словно оживляете ее.

Допустим, в своем бизнесе я не могу сделать ту сумму денег, которую хотел бы. Если у меня есть точка зрения «Мой бизнес терпит крах», значит я создал выверенный план. Я оживляю эту реальность и начинаю вести себя так, будто это происходит в самом деле. Рушится ли мой бизнес в действительности? Нет. Приносит ли он мне столько денег, сколько хотелось бы? Нет. Будет ли он когда -нибудь приносить столько денег, сколько мне хотелось бы? Нет. Хорошо. А почему нет? Потому что, неважно сколько бы я не зарабатывал, мне всегда будет хотеться большего. Если вы заметите у себя точку зрения, подобную «мой бизнес терпит крах», просто осознайте ее и скажите: «Какая интересная точка зрения, что у меня есть эта точка зрения». Это все, что вам нужно сделать.

«Интересная точка зрения» и вопрос, который за ней следует, это прекрасный способ изменить ситуацию, которую вы желали бы видеть иначе. Например, представим, что вам звонит ваша крупная клиентка и отменяет свой заказ. Если вы примете точку зрения, что это разрушит ваш бизнес, тогда вы это и создадите. Но если вы скажите: «Интересно, что она решила это сделать!» и зададите вопросы типа: «Какие еще существуют возможности, которые мы не рассмотрели?» или «Что мы можем сделать или как быть по-другому, чтобы ситуация изменилась?», то вы откроете двери в совершенно иную реальность.

Я использовал формулировку «интересная точка зрения» на протяжении года до тех пор, пока у меня не исчезли все точки зрения. Теперь, когда я что-то вижу, у меня не возникает точек зрения. Это замечательно, потому что я могу задавать вопросы, и моя точка зрения не мешает мне услышать ответы. Когда я спрашиваю у какой-то вещи: «Ты принесешь мне деньги?», я всегда слышу четкий ответ – «да» или «нет».

Что нужно Для Того, Чтобы ... Произошло?

«Просите и дано будет вам» гласит одна из библейских истин. В Библии много всего, что не всегда является правдой, но это - действительно правда, которую мы частенько игнорируем. Мы не просим того, чего желаем в своей жизни.

Иногда, когда мы прорабатываем с людьми тему денег, они спрашивают: «Почему я не могу избавиться от долгов? Почему не приходят деньги, чтобы я мог быть счастливым?»

«А вы просили об этом?» - интересуемся мы.

Они смотрят на нас в остолбенении.

Мы опять повторяем: «Ну, так вы просили о деньгах?»

«Что вы имеет в виду?» - звучит вопрос.

«Чтобы что-то получить, вы должны попросить Вселенную, чтобы она на вас поработала, чтобы вы это получили», - отвечаем мы.

«Я все выполнил, я произносил аффирмации, я сделал то, я сделал это, и ничего из этого не получилось», - говорят они.

«Знаем. Это потому что вы не просили денег», - говорим мы.

Невозможно даже описать, сколько людей вроде бы делают все правильно, но забывают этот важный момент. Как только они это понимают и начинают просить Вселенную о том, что они хотят, их финансовая ситуация начинает меняться.

Хороший способ попросить о чем-то, это, например, сказать: «Что нужно для того, чтобы ... произошло?» Например: «Что нужно для того, чтобы удвоить мой доход в этом году?»

Вместо того чтобы задавать вопросы, большинство пользуется постулатами. «Единственный способ удвоить мой доход в этом году, это найти вторую работу». Как только вы переходите в режим постулатов, и стараетесь продумать какие-то вещи, то в вашей жизни кроме этого больше ничего появиться не может. Вы создали огромное ограничение. Если вы хотите генерировать то, что вы желаете иметь, вам нужно просто попросить об этом Вселенную. Вопрос «Что нужно для того, чтобы ... произошло?» представляет собой эффективный способ этого.

После того, как вы задали вопрос, однако, вы должны быть готовы делать то, что необходимо для генерирования денег, о которых вы просили.

А Что Еще Возможно?

Если вы попали в ситуацию, ход которой вас не устраивает, попробуйте задать вопрос «А что еще возможно?» К примеру, если у меня на счету в банке нет того количества денег, которое я хотел бы иметь, вопрос «а что еще возможно?» может открыть для меня двери к новым возможностям.

Воспользуйтесь другими вопросами, такими как «А что еще я могу получить? Что я могу изменить? Что я могу генерировать? Чем я могу быть? Какой энергией я могу быть? Что я могу делать?»

У меня нет такой точки зрения, что меня что-либо когда-то остановит, это является требованием, и я знаю, что могу пользоваться вопросами, чтобы свежим взглядом узреть возможности, которые не видел раньше.

Как Я Это Создал?

Недавно я побывал в Техасе, где моя знакомая Карри доверила мне вести новую машину, которую она купила для своего сына. Проезжая мимо кафе, я услышал голос: «Давай остановимся на чашку кофе». Я подумал: «Не хочу кофе» и поехал дальше.

Потом я услышал: «Почему бы тебе не остановиться здесь, у антикварного магазина?», но я не стал этого делать. Магазин, естественно, был закрыт.

Пару минут спустя мы остановились на светофоре рядом с громадной техасской фурой высотой в восемь футов. Когда зажегся зеленый свет, машина на соседней полосе даже не сдвинулась с места, а я слегка нажал на газ и мы медленно тронулись. Ни с того ни с сего – ба-бах! Кто-то ударил нашу машину спереди и моментально умчался с места происшествия. Просто ударил и скрылся, удрал со всех ног. Наша машина была серьезно помята.

Если бы я прислушался к самому себе и остановился у антикварного магазина, нас бы не было на том месте, когда та машина летела на красный свет. Если бы я послушал самого себя, и остановился на чашку кофе, нас бы там тоже не было. Но нет, я не послушал самого себя и последовал наперекор той информации, которая ко мне поступала. Я получил всю информацию, которая смогла бы предотвратить случившееся, но я ее проигнорировал. Почему я проигнорировал эти тонкие намеки, которые следовало принять к сведению? Если с вами происходит нечто подобное, вам нужно спросить: «В чем причина того, что я не послушал?»

Людям обычно приходится дорого платить, когда они игнорируют получаемые ими тонкие намеки. Иногда они кажутся бессмысленными, но вы все равно должны к ним прислушиваться. Мне казалось бессмысленной остановка на чашку кофе. Мне казалось бессмысленным останавливаться возле закрытого антикварного магазина. Но дело здесь не в смысле, а в осознанности.

Вместо того чтобы давать газу на зеленый свет, мне следовало задать вопрос «Что я здесь не осознаю?», тогда я бы помедлил и заметил, что было что-то не так. Тем не менее, я не сорвался, подобно пуле, с перекрестка, когда остальные машины стояли. Обычно я вожу с сумасшедшей скоростью. Мне нравится со свистом срываться со старта. В этой ситуации, я мог бы обогнать стоявший впереди нас автомобиль. Обычно я так и делаю, но по какой-то причине в этот раз я так не поступил.

Карри сказала: «Ты вел машину, как старикан, ума не приложу, что ты делал». Я управлял машиной, как пенсионер, чтобы нас не угрохать. Если бы я тронулся сразу же, как загорелся зеленый свет, капот второй машины врезался бы в мою дверь. Иногда неплохо водить машину, как старик.

После этого происшествия я призадумался и стал разбираться, что же произошло, почему я не обратил внимания на эти тонкие намеки. Я задал вопрос «Как я это создал?» Я стал искать те десять секунд отсутствия осознанности, которые привели к такому результату.

Эта авария пробудила во мне понимание того, что мне нужно стать еще более осознанным, чем ранее. К более осознанным людям информация приходит как касание перышка, а не как удар доской по голове. Вы должны быть готовы почувствовать прикосновение перышка, чтобы знать, что происходит, иначе будет необходимо получить доской по голове. Задав вопрос, я смог увидеть, как я сделал выбор в пользу неосознанности касаемо знания о том, что следовало бы сделать перерыв и съехать с дороги. Я сам создал эту ситуацию, не уделив внимания своей осознанности до того, как произошла авария; если бы я поступил наоборот, все произошло бы совсем по-другому.

Все выверенные планы и РСРВ, которые у вас есть для того, чтобы превратить свою осознанность в удары доской или наковальней по голове, согласны ли вы все это разрушить и рассоздать? **РАЙТ, РОНГ, ГУД, БЭД, ПОК, ПОД, ОЛ НАЙН, ШОРТС, БОЙЗ ЭНД БЕЙОНДЗ**

Что Здесь Правильно, Что Я Не Понимаю?

После автомобильной аварии Карри использовала этот вопрос, чтобы выяснить, на что она вовремя не обратила внимания. Она поняла, что ее сыну не нравилась машина. Столкновение на перекрестке показало ей, что к машине должны относиться с любовью, а не давать ей простаивать у дома на парковке. Она призналась: «Мой сын вообще-то хотел другую машину, но вместо того, чтобы купить ему то, что он хотел, я купила ему ту машину, что устраивала меня».

«Что здесь правильно, что я не понимаю?» - это прекрасный вопрос применимый к денежным ситуациям или к другим, неприятным для вас обстоятельствам. Он раскрывает вам новые пути видения того, что происходит в вашем финансовом мире. Представим, что вам грозит увольнение, перспектив на новую работу пока нет, да и денег не хватает на покрытие текущих расходов. Ситуация мрачная. Вы понятия не имеете, как будете оплачивать счета в следующем месяце. Вам кажется, что у вас нет вариантов. Что вам нужно сделать в первую очередь? Глубоко и спокойно вдохните, потом еще и еще. Во-первых, не стоит учащенно дышать, нужно выйти из этого состояния и вернуться в настоящий момент, чтобы вы были готовы получать информацию, которая появляется, когда вы задаете вопрос. Затем спросите: «Окей, что здесь правильно, что я не понимаю?» Вам вообще хотелось там работать? Вы до сих пор хотите там работать? Если отбросить точку зрения о том, что вы теряете нечто ценное, то что еще может быть возможно?

Иногда, когда мы спрашиваем людей: «Вы понимали, что вам пришло время проститься с той работой?», нам отвечали: «Да, я погибал там от тоски!»

«Замечательно! Тогда чем бы вы хотели заниматься на самом деле?» - говорим мы.

«Не знаю, но это будет ощущаться абсолютно по-другому», - звучит ответ.

«Отлично! Следуйте этой энергии», - соглашаемся мы.

Десяти-Секундные Интервалы

Когда вы были маленькими и ваши родители приводили вас в кафе «Мороженое», они говорили вам, что просить можно все, что угодно или «только вот это или вот то»? Большинство родителей спрашивает детей: «Ты хочешь вот это или вот то?» Они дают, как правило, два варианта. Но мы-то не понимали, почему нам приходилось выбирать между «этим» и «тем». Нам хотелось всего!

Большинство из нас так и не научилось самостоятельно делать выбор. В результате, уже будучи взрослыми, мы часто сталкиваемся с трудностями, когда нам приходится выбирать. В Санта-Барбаре есть ресторан, где по воскресеньям на завтраки сервируют шведский стол с огромным ассортиментом. У них километровый стол с разными вкусностями, которые только можно вообразить. Там столько еды, что даже попробовать по кусочку каждое блюдо невозможно. И как в таком случае делать выбор? Я захожу, смотрю на стол, и на этом для меня все заканчивается. Я трачу 55 долларов только на то, чтобы посмотреть на всю эту еду. Нам говорят, что выбор неограничен, но мы не можем принять решение. Мы считаем, что проще выбирать между двумя вещами. Что мне взять на завтрак, яичницу или бекон?

Зачастую мы попадаем в ситуацию, где мы пытаемся выбрать между двумя вещами, которые мы даже не хотим. Мы пытаемся решить, какое из двух зол будет наименьшим. Прямо как при голосования за политического деятеля. Вы можете не видеть ни одного достойного кандидата, но приходится выбирать наименее худший вариант. Вас научили именно этому. Вы выбираете не то, что приведет к расширению вашей жизни и даст вам все, чего вы хотите, а вы выбираете между чем-то совсем ужасным и не таким уж плохим.

Вместо того чтобы решать между «этим» и «тем» или мучиться, когда приходится выбирать из большого разнообразия или делать выбор в пользу меньшего из зол, начните все делать в десятисекундных интервалах. Вместо того, чтобы смотреть на всех мужчин мира и стараться найти, кого же полюбить, или вместо того, чтобы делать выбор между двумя парнями, которые вам особо и не нравятся, решите просто полюбить кого-то на десять секунд. Вы можете изменить свой выбор через десять секунд. Или можете опять решить полюбить того же мужчину на последующие десять секунд.

Когда вы думаете, что ваш выбор является единственным на всю жизнь, вы связываете себя по рукам и ногам в попытках принять верное решение. Вместо этого попробуйте десятисекундные интервалы. Прелесть выбора интервала в десять секунд заключается в том, что ваш выбор ведет к осознанности. Большинство из нас учили задумываться о последствиях наших решений. Обычно говорят: «Будь осторожен с выбором, потому что если совершишь ошибку, это уже не вернуть». Разве это правда? Вы испытываете при этом легкость? Или вы чувствуете тяжесть? Или это заставляет вас паниковать? Вы чувствуете тяжесть, потому что это неправда! Вы никогда не знаете, что произойдет, пока не сделаете выбор.

Если вы приняли решение, и вам не нравятся последствия, скажите просто: «Ох! Это было плохой выбор. Следующий!» И выбирайте опять. Если вы будете себя так вести, вы не будете испытывать панику по поводу своего выбора, потому что в нем отсутствует особая значимость или особый смысл.

Давайте сыграем в небольшую игру. У вас осталось десять секунд, чтобы провести остаток своей жизни. Вы находитесь в джунглях, в которых водятся львы, тигры, медведи и ядовитые змеи. Похоже на город, в котором вы живете. Через десять секунд вы умрете. У вас осталось десять секунд, чтобы прожить остаток своей жизни. Что вы выбираете?

Возможно, это будет сходно с тем, что мы услышали на одном из последних занятий.

Гэри: «У вас осталось десять секунд, чтобы прожить остаток своей жизни. Что вы выбираете?»

Участник: «Заняться любовью».

Гэри: «Заняться любовью. Хм, это должно занимать несколько дольше, чем десять секунд. Если нет, то заведите нового мужчину».

Участник: «Съесть сладкое».

Гэри: «Ладно, хорошо!»

Участник: «Свободу, освобождение».

Гэри: «Хорошо, этот остаток жизни закончился. У вас осталось десять секунд, чтобы прожить остаток своей жизни. Что вы выбираете?»

Участник: «Радость. Веселье. Деньги. Осознанность».

Гэри: «Хорошо. Эта жизнь закончилась. Выбирайте снова!»

Участник: «Велосипед».

Гэри: «Хорошо. Эта жизнь закончилась. Выбирайте снова!»

Участник: «Играть, выпить бокал вина».

Гэри: «Хорошо. Эта жизнь закончилась. Выбирайте снова!»

Участник: «Сделать красивый фотоснимок».

Гэри: «Хорошо. Эта жизнь закончилась. Выбирайте снова. Вы заметили, что когда вы выбираете по

десятисекундным интервалам, вы начинаете чувствовать себя легче?»

Поступайте так все время, каждый день. В один десятисекундный интервал вы можете сказать: «Как мне осточертела работа в этой аптеке». В следующие десять секунд вы можете сказать: «Обожаю быть аптекарем! Я так люблю свою работу!» В какой-то десятисекундный интервал вы можете сказать: «Терпеть не могу клиента, которого я должна учить йоге», а потом: «Я обожаю, как пахнет человек, которого я обучаю йоге».

Когда вы делаете выбор по десятисекундным интервалам, вас ничего не цепляет. Вы принимаете точку зрения: «Хочу, чтобы сегодняшний день отличался от вчерашнего». Если мне предстоит четыре сеанса в день с частными клиентами и первый из них отменяется, я говорю: «Ладно, Вселенная! Ты пытаешься мне сказать, что у меня сегодня выходной?» Если в ответ звучит «да», то я звоню остальным трем клиентам, и в девяноста девяти процентах случаев они говорят: «Я так рад/а, что вы позвонили, потому что мне совсем не хотелось проводить сегодня сеанс, но у меня была запись, а к вам так тяжело попасть, что я не хотел/а ее отменять». Им тоже не хотелось проводить сеанс. Вселенная старалась мне сказать, что пришло время взять выходной. Я был готов сделать другой выбор и мои клиенты тоже.

Вы можете так поступать даже тогда, когда вам нужно принять так называемые серьезные или важные решения, как, например, в случае, когда ваш бизнес в долгах, у вас не хватает денег, и вам нужно решить как быть. Не пытайтесь ради лишнего доллара что-то насильно воплотить в реальность. Вместо этого выбирайте по десятисекундным интервалам.

Мне раньше говорили: «Для того чтобы функционировать в этой реальности, нужно все планировать. Невозможно всегда принимать решения за десять секунд. Если я куплю билет на самолет за десять секунд до отлета, он обойдется мне гораздо дороже».

Я отвечаю так: «Вы можете продолжать планировать. Я до сих пор строю самые различные планы, но я всегда готов изменить их в течение десяти секунд. Просто потому, что я что-то спланировал, это не означает, что я не могу это изменить». Многие думают, что если у них есть план, его нужно непременно выполнить. Вам когда-нибудь говорили, что если вы не будете доводить начатое до конца, вы ненадежный человек? Если вам приходится слышать от людей, что вы мотылек или ненадежный человек или полный идиот, помните, что они говорят вам о самих себе. Вы можете функционировать в этой реальности и строить десятисекундные планы, если вы готовы меняться. Это облегчает вашу жизнь. И если вас называют мотыльком или ненадежным, поблагодарите этих людей. В этом случае они не будут знать, что им с этим делать. Всегда забавно оставлять их с широко разинутыми ртами.

Эта реальность всего лишь такова, как она есть. Вам не нужно в ней жить, но вам желательно уметь в ней функционировать. Когда вы функционируете в этой реальности, вы функциональны. Это означает, что вы готовы смотреть на все, как оно есть; знать, что вы можете и что вы не можете изменить; и иметь дело со всем так, как оно есть. Когда вы функционируете в этой реальности, вы сознаете, что вам доступны другие варианты выбора. Вы смотрите на вещи и говорите: «Они ожидают, что все произойдет вот так. Должен ли я жить в соответствии с ожиданиями других? Должен ли я все делать так, как это делают другие? Должен ли я страдать так, как это делают другие? Конечно, нет! Я могу иметь другую реальность». Жизнь в десятисекундных интервалах может вам в этом помочь.

Все В Жизни Приходит Ко Мне С Легкостью И Радостью И Во Всем Своем Великолепии

И наконец, в «Access» мы используем мантру: «Все в жизни приходит ко мне с легкостью и радостью и во всем своем великолепии». Легкость – это отсутствие прилагаемых усилий, радость - это счастье, удовольствие и восторг, а великолепие есть все то неудержимое многообразное проявление и изобилие жизни, которое только возможно.

Дэйн говорит, что когда он впервые услышал «Все в жизни приходит ко мне с легкостью и радостью и во всем своем великолепии», он стал повторять эту фразу по тридцать раз каждое утро и каждый вечер и в разное время в течение дня, что в результате изменило энергию, которую он был готов иметь в своей жизни. По словам Дэйна, когда он стал произносить «Все в жизни приходит ко мне с легкостью и радостью и во всем своем великолепии», изменилось пространство, исходя из которого он функционировал. В начале, когда он начинал это повторять, ему казалось, словно в своей жизни он ощущал некую скованность, но после пяти или десяти повторений перед ним раскрывалось целое пространство.

Удивительно, какие невероятные вещи с вами могут происходить, когда, вы говорите: «Все в жизни приходит ко мне с легкостью и радостью и во всем своем великолепии».

Мой старший сын пристрастился к наркотикам. Однажды вечером он отправился на моей машине якобы купить пачку сигарет и не вернулся. Его не было всю ночь. Я не знал, что делать, поэтому просто продолжал твердить эту мантру: «Все в жизни приходит ко мне с легкостью и радостью и во всем своем великолепии». Я не чувствовал, что все в жизни ко мне приходит с легкостью, радостью, и во всем своем великолепии, а просто это говорил. В два часа ночи я проснулся от звука машины, но это был не он, и я снова повторил фразу. Я делал это еще и еще в четыре утра и в шесть часов. Наконец, около 7:30 он появился в дверях. Я сказал: «Все в жизни приходит ко мне с легкостью и радостью и во всем своем великолепии. Что происходит?» У нас уже был разговор о том, что он уже так долго употребляет наркотики и совсем потерял контроль над собой, что ему придется съехать с нашего дома, если он еще раз сделает такой выбор.

Мой сын заявил: «Знаешь, мне нужна программа реабилитации».

Он уже три раза проходил разные реабилитационные программы, но это никогда не было его собственным выбором. Мы заставляли его это делать. И вот, мой сын прошел полуторагодовую программу реабилитации, и вся его жизнь перевернулась. Произошло чудо. Мой сын до сих пор жив и здоров, но его бы наверно не было бы в живых, если бы он тогда не принял решение. И это был его собственный выбор. Дело в том, что те, кто страдает зависимостью от наркотиков или алкоголя, должны принять решение сами. Вы не можете заставить их измениться. Я мог только сказать «Все в жизни приходит ко мне с легкостью и радостью и во всем своем великолепии». Всегда ли я в это верю? Нет, не всегда. Но я продолжаю повторять эту фразу, потому что Вселенная меня слышит и мне отвечает.

Мы надеемся, что вы будете использовать инструменты и информацию из этой книги, чтобы генерировать финансовую реальность, которая будет гораздо лучше той, что у вас есть сейчас.

ГЛОССАРИЙ

Быть

В этой книге мы иногда используем слово «быть» в несколько необычном контексте, как, например, в вопросе «Какой генерирующей энергией, пространством и сознанием я могу быть, что бы это позволило бы мне быть той энергией обладания и накопления денег, которой я истинно являюсь?» Мы используем здесь слово «быть», потому что если вы не можете «быть» деньгами, то вы не сможете их иметь.

Почему мы не говорим «деньги, которые я истинно есть»? Потому что в данном случае «есть» это выверенный план бытия. «Есть» это придуманная точка зрения. «Быть» подразумевает безграничность существа, где вы можете быть абсолютно всеми аспектами всего, чем вы потенциально можете быть.

Очищающее утверждение (ПОК/ ПОД - POC and POD)

Очищающее утверждение, которое мы используем в «Access»: Right, Wrong, Good, Bad, POC, POD, All Nine, Shorts, Boys and Beyonds.

«РАЙТ, РОНГ, ГУД, БЭД, ПОК, ПОД, ОЛ НАЙН, ШОРТС, БОЙЗ ЭНД БЕЙОНДЗ»

RIGHT / WRONG, GOOD / BAD

Правильно/ неправильно, хорошо/ плохо

Это сокращение означает: Что в этом хорошо, безупречно и правильно? Что в этом неправильно, противно, дурно, ужасно, плохо и отвратительно? Что есть правильно и неправильно, хорошо и плохо?

POC (point of creation) /ПОК (точка создания)

Момент создания мыслей, чувств и эмоций непосредственно перед тем, как вы что-то решаете.

POD (point of destruction) /ПОД (точка разрушения)

Момент разрушения непосредственно перед тем, как вы что-то решаете. Представьте, что вы вытягиваете нижнюю карту из под карточного домика, и вся конструкция разрушается.

All Nine/ Все девять/Ол Найн

Это девять слоев экскрементов, которые были убраны. Вы знаете, что где-то там в девяти слоях должен быть спрятан пони, потому что не имея там пони вы не смогли бы получить такую кучу навоза в одном месте. Плохо то, все эти экскременты вы себе создаете сами.

SHORTS/ Шортс/сокращения

Это сокращение для: Что в этом значимого? Что в этом бессмысленного? Какое это влечет наказание? Какая за этим стоит награда?

BOYS/Бойз

Означает ядросодержащие сферы (пузыри). Вы видели когда-нибудь, как дети выдувают мыльные пузыри из трубочки? Стоит один раз дунуть, и вылетает целая куча пузырей? Один лопается и вслед за ним возникает еще один?

BEYONDS/Бейондз/ запредельность

Это чувства, ощущения, которые останавливают ваше сердце, ваше дыхание или блокируют вашу готовность взглянуть на возможности. Например, когда ваш бизнес в долгах, и вы получаете очередное последнее предупреждение; вы злитесь от отчаяния, потому что вы этого сейчас совсем не ожидали.

Иногда вместо того, чтобы сказать «используйте очищающее утверждение» мы просто говорим **«ПОК и ПОД все это»**.

Конфликтная Вселенная (иначе называемый конфликтной реальностью или конфликтной парадигмой)

Это точка зрения, которая содержит противоречащие друг другу элементы. В этом вся проблема. Например, вам говорили в детстве, что любовь к деньгам, является корнем зла? И теперь вы отказываетесь быть воплощением зла? Это и есть конфликтная вселенная.

Выверенные планы

Это искусственная точка зрения, которую вы создали. Например, вы говорите: «Деньги должны быть именно такими» или «Вот так и должны обстоять дела с деньгами». Вы считаете, что хотели бы чтобы нечто происходило определенным образом, а потом собираете подтверждения в пользу правильности своего заключения. Вы не смотрите на вещи так, как они есть.

Обращение К Читателям

Информация о деньгах, предоставленная в этой книге – это всего лишь небольшой фрагмент того, что предлагает «Access Consciousness»®. В вашем распоряжении находится целая вселенная процессов и классов. Если в каких-то сферах вашей жизни вы не можете заставить вещи работать так, как вы знаете они должны работать, возможно, вам будут интересны классы или семинары «Access Consciousness»®. Вы также можете найти местного фасилитатора, который сможет поработать с вами лично, чтобы прояснить определенные вопросы, с которыми вы сами не можете справиться, будь то проблемы с деньгами или что-то еще. Процессы «Access Consciousness»® проводятся с обученным фасилитатором и основываются на вашей собственной энергии, а также энергии человека, с которым вы работаете.

Для получения большей информации, посетите www.accessconsciousness.com

Рекомендованные издания по теме деньги:

Money Isn't the Problem, You Are (Проблема не в деньгах, а в вас.) Гэри Даглас и Др. Дэйн Хиир

Prosperity Consciousness (Сознание Процветания) Steve and Chutisa Bowman (Стив и Чутиса Бауман)

**The Penny Capitalist: How to Build a Small Fortune from Next to Nothing (Центовый капиталист: как сколотить

небольшое состояние из ничего) James J. Hester (Джеймс Дж. Хестер)

How to Get Out of Debt, Stay Out of Debt and Live Prosperously (Как выбраться из долговой ямы, не попасть в нее снова и жить благополучно) Jerrold Mundis (Джерольд Мундис)

Об Авторах

Гэри М. Даглас

Известный и популярный автор, Гэри Даглас, выступающий с семинарами в различных странах, впервые представил свою систему инструментов и процессов, трансформирующих жизнь, под названием «Access Consciousness»® более 20-ти лет назад. Его прогрессивные инструменты изменили жизни тысяч людей по всему миру. Его система работает в 47 странах и насчитывает около 2 000 фасилитаторов по всему миру. Простые, но столь эффективные инструменты облегчают жизнь людей самых разных возрастов и сословий и помогают им убрать блоки, мешающие им жить полной жизнью.

Гэри родился в одном из центральных штатов Америки и вырос в Сан Диего, шт. Калифорния. Несмотря на то, что он появился на свет в совершенно обычной семье среднего класса, с самых ранних лет его влекло к изучению человеческой психики и этот интерес со временем перерос в желание помогать людям «познать то, что они знают» и расширять их жизнь в направлении большей осознанности, радости и изобилия. Практические инструменты, которые он разработал, используются не только знаменитостями, крупными корпорациями и преподавателями, но также и медицинскими специалистами (психологами, хиропрактиками, натуропатами) для улучшения состояния здоровья и благополучия своих клиентов.

Еще до создания системы Access Consciousness®, Гэри Даглас был успешным продавцом недвижимости в Санта-Барбаре, шт. Калифорния, и также получил диплом психолога. Несмотря на то, что он достиг определенного материального богатства и статуса «успешности», его жизнь начала терять свое значение и он начал свой поиск нового пути продвижения вперед, такого, который бы принес изменения в мире и в жизни людей.

Гэри является автором 8-ми книг, включая роман-бестселлер «The Place», на написание которого, с его слов, его вдохновило следующее: «Я хотел исследовать возможности того, какой может быть жизнь. Позволить людям узнать о том, что на самом деле не обязательно жить с тем старением, сумасшествием, глупостью, интригами, жестокостью, безумием, потрясениями и драмой, с которым мы живем, как будто у нас нет иного выбора. Роман «The Place» - о людях, которые знают, что возможно абсолютно все. Выбор является источником творения. Что, если наш выбор можно мгновенно изменить? Что, если мы можем сделать свой выбор более реальным, чем те решения и тупиковые точки зрения, которые мы принимаем за бесспорные?»

Гэри обладает удивительными познаниями и заботой о всем живущем. «Я бы хотел, чтобы люди были более осознанными и сознательными и поняли, что нам нужно сохранять Землю, а не просто использовать ее и эксплуатировать. Если мы станем видеть возможности того, что нам доступно, вместо того, чтобы стараться урвать свой кусок пирога, мы сможем создать совершенно иной мир.»

Гэри, полный жизни дедушка, (которого не берут годы,) имеет совершенно особый взгляд на жизнь и убежден, что мы приходим в эту жизнь проявить свою уникальность и прочувствовать легкость и радость бытия. Он продолжает вдохновлять остальных, продолжает преподавать по всему миру и делает огромный вклад в будущее нашей планеты. Он открыто заявляет, что для него «жизнь только начинается».

Гэри также обладает широким спектром интересов личного и бизнес характера. Они включают в себя любовь к антиквариату (Гэри основал «Антикварную Гильдию» в Брисбане, Австралия, в 2012), конную езду на беговых скакунах, разведение лошадей породы Costarricense De Paso и эко-ретрит в Коста Рике, открывающийся в 2019году.

Чтобы получить больше информации, посетите:

www.GaryMDouglas.com
www.AccessConsciousness.com
www.Costarricense-Paso.com

Доктор Дэйн Хиир

Доктор Дэйн Хиир является международным спикером, автором и фасилитатором семинаров Access Consciousness® продвинутого уровня по всему миру. Его уникальные и трансформирующие точки зрения на человеческое тело, деньги, будущее, секс и отношения выходят далеко за пределы всего того, что пропагандируется в настоящее время.

Доктор Хиир приглашает и вдохновляет людей на жизнь в состоянии большей осознанности, исходя из позиции полного позволения, заботы, юмора и глубокого внутреннего знания.

В 2000 году Доктор Хиир начал работать в Калифорнии, США, в числе сообщества хиропрактиков. Он наткнулся на Access Consciousness® в тот момент своей жизни, когда он был глубоко несчастен и даже планировал покончить жизнь самоубийством.

В то время как ни одна из техник и модальностей, которые изучал Доктор Хиир не принесла ему долговременных результатов или изменений, Access Consciousness® перевернул дня него абсолютно все, и его жизнь начала расширяться и расти с такой легкостью и скоростью, которые он раньше и не мог себе представить.

Сейчас Доктор Хиир путешествует по миру, проводя классы, и он разработал уникальный энергетический процесс для изменений, индивидуальных и групповых, под названием Энергетический Синтез Бытия. Он обладает нестандартным подходом к целительству, обучая людей находить и осознавать свои собственные возможности и знания. Возможные энергетические трансформации происходят быстро и по-настоящему динамичны.

Чтобы получить больше информации, посетите:

www.DrDainHeer.com
www.BeingYouChangingTheWorld.com
www.BeingYouClass.com

Другие Книги, Написанные Гэри Дагласом И Др. Дэйном Хииром

The Place (Место)
Gary M. Douglas

Джейк Райн путешествует по Айдахо в своем Форде Tunderbird 57-го года, когда с ним происходит серьезная авария. Она становится катализатором для неожиданного пути, по которому ему предстоит пройти. Находясь в одиночку в лесной чаще, с покалеченным телом, Джейк зовет на помощь. То, что приходит на помощь, меняет не только его жизнь, но и всю его реальность. Джейк раскрывается на встречу осознанию возможностей; возможностей, в существование которых мы всегда верили, но которыедля нас еще не проявились.

Бестселлер книжного магазина Barnes and Noble.

Being You, Changing the World (Будь собой, изменяй мир)
Dr. Dain Heer

Вы всегда знали, что возможно нечто совершенно иное? Что, если бы у вас для руководства был справочник по неограниченным возможностям и динамичным переменам? С инструментами и процессами, которые по-настоящему работали и приглашали вас на путь абсолютно иного бытия? Для вас самих? И для мира?

Divorceless Relationships (Отношения без развода)
Gary M. Douglas

Отношения без развода – это те, в которых вам не приходится разводиться с какой-то частью себя, чтобы быть в отношениях с другим человеком. Это позиция, где все и вся, с кем и чем вы находитесь в отношениях, могут вырасти в результате ваших отношений.

Magic. You Are It. Be It. (Волшебство. Это вы. Будьте им.)
Gary M. Douglas, Dr. Dain Heer

Волшебство касается радости от того, что вы обладаете всем, чем желаете. Настоящая магия – это способность пребывать в радости, которой может быть ваша жизнь. В этой книге вам предлагаются инструменты и жизненные позиции, которые вы можете использовать для создания осознанности и волшебства, и изменить свою жизнь так, как вы раньше даже не представляли себе возможным.

Money Isn't The Problem, You Are (Проблема не в деньгах, а в вас)
Gary M. Douglas, Dr. Dain Heer

Книга предлагает нестандартные концепции о деньгах. Дело не в финансах. Совсем нет. Все дело в том, что вы готовы получать.

Sex is Not a Four Letter Word but Relationship Often Times Is (Секс – это не %$@#& , а вот отношения – часто да...)
Gary M. Douglas, Dr. Dain Heer

Смешная, откровенная и очаровательно дерзкая книга предлагает читателям абсолютно новый взгляд на то, как создать интимные отношения и превосходный секс. Что, если бы вы перестали гадать, и просто узнали, что же действительно работает?

Talk to the Animals (Говорите с животными)
Gary M. Douglas, Dr. Dain Heer

Знаете ли вы, что каждое животное, каждое растение и каждая структура на этой планете обладает сознанием и желает вам сделать подарок?

Embodiment: The Manual You Should Have Been Given When You Were Born (Воплощение: руководство, которое вам должны были дать при рождении)
Gary M. Douglas, Dr. Dain Heer

Книга знакомит вас с осознанием того, что у вас всегда есть выбор.

www.AccessConsciousness.com

БОЛЬШЕ ИНФОРМАЦИИ НА САЙТАХ

www.AccessConsciousness.com
www.DrDainHeer.com
www.GaryMDouglas.com
www.BeingYouChangingTheWorld.com
www.YouTube.com/drdainheer
www.Facebook.com/drdainheer
www.Twitter.com/drdainheer
www.facebook.com/accessconsciousness
www.RightRecoveryForYou.com
www.AccessTrueKnowledge.com